Le Millionnaire paresseux

SUIVI DE

L'art d'être toujours en vacances...

Catalogage avant publication de Bibliothèque et Archives Canada

Fisher, Marc, 1953-

Le millionnaire paresseux; suivi de, L'art d'être toujours en vacances –

(Collection Motivation et épanouissement personnel)

ISBN 2-89225-613-5

1. Richesse. 2. Paresse. 3. Succès. 4. Sécurité financière. I. Titre. II. Titre: L'art d'être toujours en vacances –. III. Collection.

HB251.F572 2006 330.1'6 C2006-940173-X

Adresse municipale:
Les éditions Un monde différent ltée
3925, Grande-Allée, Saint-Hubert
(Québec), Canada J4T 2V8
Tél.: (450) 656-2660
Téléc.: (450) 445-9098
Site Internet: http://www.umd.ca
Courriel: info@umd.ca

Adresse postale:
Les éditions Un monde différent ltée
C.P. 51546
Succ. Galeries Taschereau
Greenfield Park (Québec)
J4V 3N8

Dépôts légaux: 1er trimestre 2006
Bibliothèque nationale du Québec
Bibliothèque nationale du Canada
Bibliothèque nationale de France

Conception graphique de la couverture:
OLIVIER LASSER

Dessin de la couverture:
MARC BEAUDET

Photocomposition et mise en pages:
ANDRÉA JOSEPH [PageXpress]

Typographie: Minion 12 sur 13,6 pts

ISBN 2-89225-613-5

Nous reconnaissons l'aide financière du gouvernement du Canada par l'entremise du Programme d'aide au développement de l'industrie de l'édition pour nos activités d'édition (PADIÉ).

Gouvernement du Québec – Programme de crédit d'impôt pour l'édition de livres – Gestion SODEC.
Gouvernement du Québec – Programme d'aide à l'édition de livres de la SODEC.

Imprimé au Canada

Marc FISHER

Le Millionnaire paresseux

SUIVI DE

L'art d'être toujours en vacances...

UN MONDE DIFFÉRENT

Du même auteur
chez le même éditeur

L'Ouverture du cœur: Les principes spirituels de l'amour incluant: Le nouvel amour courtois, éditions Un monde différent, Saint-Hubert, 2000, 192 pages.

Le Bonheur et autres mystères... suivi de *La Naissance du Millionnaire,* éditions Un monde différent, Saint-Hubert, 2000, 192 pages.

La vie est un rêve, éditions Un monde différent, Saint-Hubert, 2001, 208 pages.

L'Ascension de l'âme: Mon expérience de l'éveil spirituel, éditions Un monde différent, Saint-Hubert, 2001, 192 pages.

Le Testament du Millionnaire, sur l'art de réussir et d'être heureux, éditions Un monde différent, Saint-Hubert, 2002, 144 pages.

Les Principes spirituels de la richesse, suivi de *Le Levier d'or,* éditions Un monde différent, Saint-Hubert, 2005, 192 pages.

Au très regretté Henri Tranquille, mon habituel premier lecteur, qui, pour la première fois, ne pourra l'être car il est parti, il n'y a guère, apporter ses lumières à la grande librairie céleste…

À Christian Godefroy, dont l'intelligence, la générosité et le style – de vie et d'écriture – m'ont inspiré à chaque page de ce livre…

À Jean Rozon et Paul Martin, dont les conseils m'ont été infiniment précieux dans (l'interminable) révision de ce livre.

À Marc Beaudet, dont le talent de caricaturiste a permis de donner à ce livre une vitrine que j'adore…

Et enfin à Michel Ferron, ami et éditeur, dont l'admirable patience avec moi sera un jour récompensée, je crois.

Table des matières

L'ART D'ÊTRE TOUJOURS EN VACANCES

Chapitre 1

Qu'est-ce qu'un millionnaire paresseux?

« Il y a seulement quatre types d'officiers.

Premièrement, il y a les paresseux stupides.

Laissez-les en paix, ils ne sont pas nuisibles!

Deuxièmement, il y a ceux qui sont intelligents et travailleurs.

Ils sont d'excellents officiers du personnel, s'assurant que chaque détail soit pris en considération.

Troisièmement, il y a ceux qui travaillent fort et qui sont stupides. Ces individus sont une menace et doivent être congédiés immédiatement.

Enfin, il y a ceux qui sont intelligents et paresseux.

Eux sont aptes aux plus hautes fonctions! »

Voilà la réflexion à la fois spirituelle et lucide que fit un jour le général von Manstein au sujet du corps d'officiers de l'armée allemande.

Et vous, à quelle catégorie d'officiers appartenez-vous, dans votre travail et votre vie?

Évidemment, si vous êtes stupide, vous n'avez pas l'intelligence de vous en apercevoir et vous ne pouvez guère répondre à cette question.

Mais si vous êtes en train de lire ce livre, c'est que vous avez un certain niveau d'intelligence.

Alors vous appartenez forcément à l'une ou l'autre des deux autres catégories.

À la vérité, il est probable que vous soyez un travailleur intelligent…

Pourquoi?

Parce que depuis que vous êtes enfant, on vous a chanté les vertus du travail.

Parce que depuis que vous êtes enfant – et pendant toute votre vie adulte – on vous a répété que les paresseux étaient des vauriens, et il est vrai qu'il y en a qui le sont.

On vous a répété ad nauseam qu'il fallait travailler à la sueur de son front, que rien n'était facile dans la vie, et même que rien n'avait de valeur qui n'avait été obtenu au prix de grands efforts, de frustrations, de sacrifices…

Avec pour résultat que, pour un paresseux intelligent, il y a 10, il y a 100, il y a 1000 travailleurs intelligents.

Le problème, avec le travailleur intelligent, c'est que s'il finit par arriver à l'indépendance financière, il l'atteint en général à un âge si avancé – l'âge «normal» de la retraite, en somme! – qu'il ne peut pas en profiter vraiment, même s'il gagnait 200 000 $ par année, ce qui le place dans le 1 % des mieux rémunérés de notre société…

Alors les autres, les 99 % qui restent, il n'est pas difficile de comprendre que leur sort n'est pas plus rose, que même il est plutôt gris, sinon noir…

Oui, en général, le travailleur intelligent manque de temps, pas parce qu'il a manqué de revenus, mais parce qu'il a manqué de… paresse intelligente!

Nous verrons comment et pourquoi tout au long de ce livre.

En fait, nous passerons beaucoup de temps à voir comment éviter les erreurs du travailleur intelligent, qui arrive en général à l'indépendance financière non seulement trop tard, comme on vient de le dire, mais surtout APRÈS AVOIR TOUT SACRIFIÉ à son travail, ce qui est normal, car il est un… travailleur intelligent!

Qui pour atteindre son but a trop souvent négligé famille, amis, loisirs, et surtout, dans trop de cas, son bien le plus précieux, sa santé, physique ou mentale…

Le jeu en vaut-il la chandelle?

NON!

Pas en tout cas pour le millionnaire paresseux, qui veut certes faire fortune mais qui ne veut pas arrêter de vivre pendant 30 ou 40 ans pour atteindre ce but.

C'est ce qui le distingue non seulement de la plupart des gens mais aussi des millionnaires ordinaires.

Comme par exemple John Paul Getty.

Qui fut de son vivant l'homme le plus riche du monde, certes, mais confessa dans un de ses ouvrages autobiographiques: *How to be rich (Devenir riche)*, que, malgré ses millions, il ne put jamais prendre plus de sept jours de vacances d'affilée, et que, même en vacances, il ne put jamais passer une journée entière sans devoir donner ou recevoir plusieurs coups de fil pour régler différents problèmes urgents!

À quoi bon être millionnaire (ou milliardaire dans le cas de Getty!) si on ne peut passer une seule journée de l'année sans être ennuyé par ses problèmes?

Mieux vaut être un millionnaire paresseux!

Mais d'abord, et pour que ce soit bien clair entre nous, qu'est-ce que j'entends par «millionnaire paresseux»?

C'est simple: c'est un individu qui a acquis, rapidement et relativement facilement, une fortune évaluée entre 1 et 10 millions de dollars.

Pourquoi ces chiffres?

La limite inférieure, on la comprend, bien sûr, puisque qu'on ne peut être considéré comme un millionnaire sans posséder au moins... un petit million!

La limite supérieure, elle, demande des explications.

Je l'ai établie à 10 millions parce que, de tous les millionnaires qui existent en Amérique, 95% possèdent une fortune qui s'établit justement entre 1 et 10 millions, et ils sont pour la plupart des gens comme vous et moi, des gens ordinaires dont on entend rarement parler dans les journaux...

Je me permets de préciser que j'ai démarré à 1 million même si, aujourd'hui, avec les taux d'intérêt et le coût sans cesse croissant de la vie, un homme qui aurait un million en banque à 40 ans, ne pourrait pas vivre sur un grand pied, si du moins il ne veut pas toucher à son capital. Et s'il y touche, il ne pourra faire long feu, il ne pourra pas vivre longtemps une vie de millionnaire paresseux.

Aujourd'hui, il faut plutôt 2 ou 3 millions, et de préférence 4 ou 5 pour vivre la vie de millionnaire paresseux.

Si vous vous rendez à 10 millions, ce qui a de fortes chances de se produire si vous avez déjà 2 ou 3 millions à 50 ou 55 ans, que vous viviez 25 ou 30 ans de plus comme vous permet de l'espérer la longévité moyenne, et surtout en continuant à pratiquer la philosophie du millionnaire paresseux, vous aurez une vie encore plus sympathique bien sûr…

Pour atteindre une fortune largement supérieure à cette somme, par exemple 50, 250 ou 1 000 millions (ce qui vous fait passer *ipso facto* dans la catégorie beaucoup plus sélecte des milliardaires) il faudra que vous renonciez à votre mentalité, à vos habitudes et à votre confort de millionnaire paresseux.

Et il faudra aussi qu'on puisse vous classer dans une des catégories suivantes:

1. vous êtes né avec une cuillère d'argent dans la bouche, comme on dit, c'est-à-dire que vous avez hérité d'une somme importante qui a fait de vous un millionnaire sans que vous ayez à lever le petit doigt: bravo, vous avez un bon karma, mais vous aurez probablement des «problèmes d'argent» quand même, seulement d'une autre sorte. Ou encore, que vous avez épousé une personne fortunée, ce qui est une autre manière de devenir riche: si vous vous êtes marié par amour, tant mieux, parce que sinon, il me semble que c'est un prix bien cher à payer pour son indépendance financière, et je ne suis pas sûr qu'à la fin de votre vie (et peut-être bien avant!) vous ne regrettiez pas ce sacrifice, sans compter que vous n'êtes pas à l'abri du divorce… Il y en a de fort lucratifs, je sais, financièrement. Mais moralement?
2. vous avez une chance exceptionnelle: vous avez gagné à la loterie, 1, 5 ou 40 millions! Vous non plus, soit dit en passant, vous n'êtes pas à l'abri des «problèmes d'argent», comme celui de faire face à toutes les demandes de prêts ou de dons

de vos parents, de vos amis, et même de parfaits étrangers (toutes les semaines, je reçois des lettres de lecteurs qui me demandent 25 000 $ parce que c'est ce que le vieux Millionnaire donne au jeune homme à la fin du *Millionnaire*!).

Au fait, et sans vouloir jouer d'aucune manière les prophètes de malheur, vous n'êtes pas à l'abri d'une faillite rapide, (comme certains riches héritiers écervelés et trop dépensiers!), car quand vous parlez de votre argent, vous ne pouvez pas dire, fièrement: «Mon argent, je l'ai gagné!», il faut, pour être honnête, que vous ajoutiez… «à la loterie!»

Ce qui fait toute la différence du monde car vous ne l'avez pas gagné par votre travail ou votre astuce de millionnaire paresseux: or, il faut presque autant de talent, de discipline et de sagacité pour préserver son argent que pour le gagner! Et c'est une des raisons pour lesquelles les statistiques montrent que bien des gagnants de loterie se retrouvent, quelques années APRÈS leur gain chanceux au même niveau de richesse (ou de pauvreté!) qu'avant…

3. vous avez un talent exceptionnel comme Tiger Woods, qui gagne 90 millions par année, Stephen King qui en gagne 50 ou Oprah Winfrey qui en gagne plus de 200…
4. vous êtes un gestionnaire de très haut niveau, et vous êtes chef de la direction ou au moins vice-président d'une grande société par actions, si bien que vous ayez un salaire annuel qui dépasse largement ce que la plupart des individus gagnent pendant toute leur vie, comme le PDG de Disney, Michael Eisner qui, une (bonne!) année a vu son salaire s'élever à plus de 150 millions! Non seulement votre salaire est 100 fois plus élevé que le salaire moyen (vous gagnez 3 000 000 $ alors que la moyenne des travailleurs en gagne 30 000 $) mais en plus, vous avez des avantages sociaux, comme une voiture de compagnie, un chauffeur, une allocation de dépenses généreuse et surtout, des options que vous pouvez exercer en tout temps, même avant votre départ, et un parachute d'or en cas de congédiement, sans compter un fonds de pension de plusieurs centaines de milliers de dollars par année jusqu'à votre mort…

5. vous êtes l'élite de votre profession (libérale), par exemple un avocat qui exige 800 $ ou 1 200 $ de l'heure, ou un chirurgien plastique qui demande 15 000 $ pour refaire en un après-midi une paire de seins ou 50 000 $ pour remonter le visage d'une célébrité qui vit de… son visage !
6. vous êtes un entrepreneur, vous avez une ou plusieurs entreprises, et vous gagnez plusieurs millions par année, mais vous avez tellement de responsabilités et d'employés que vous devez travailler 60, 70 ou même 80 heures par semaine, et presque 50 semaines par année, et par conséquent la plupart de vos amis, des membres de votre famille, vous trouvent insupportable… du moins quand ils peuvent vous voir, ce qui est de plus en plus rare !

Le millionnaire paresseux, lui, n'appartient à aucune de ces catégories…

1. ses parents ne sont pas « nés avant lui », comme on dit…
2. il n'a pas un talent exceptionnel…
3. il n'est pas nécessairement allé à l'école longtemps : parfois il a seulement une septième année !
4. il n'est certainement pas prêt à travailler 80 heures par semaine, et à faire prendre sa tension artérielle presque tous les jours comme Michael Douglas dans le film *Wall Street* ! En tout cas il n'est certainement pas prêt à le faire toute sa vie : quelques années, 5, 10, ou 20 va toujours, mais pas plus ! En fait il n'est même pas prêt à travailler 40 heures par semaine… comme tout le monde, ni même 30 heures. Une vingtaine d'heures lui suffisent amplement, et son objectif est de travailler encore moins, comme par exemple certains millionnaires paresseux que je connais qui ne travaillent pas plus de 8 heures par semaine, ce que la moyenne des gens travaille tous les jours ! Mieux (ou pire encore pour les bien-pensants !) le millionnaire paresseux ne veut pas être obligé de travailler toutes les semaines, il veut pouvoir s'arrêter quand il veut, et surtout… dès qu'il éprouve des signes de fatigue, car il sait que s'il ne s'arrête pas, c'est son corps qui s'arrêtera à sa place : il tombera malade. Il veut pouvoir

prendre des vacances non pas une, non pas 2, mais 7 ou 8 fois par année: en fait chaque fois qu'il en a envie, suivant son horloge intérieure de... millionnaire paresseux!

Le millionnaire paresseux, comme vous le voyez, est, à bien des égards (mais pas tous évidemment!) une personne qui ne pense pas comme une personne ordinaire, qui ne pense pas comme tout le monde.

Et pourtant, fondamentalement, puisqu'il n'a souvent ni diplôme universitaire, ni talent exceptionnel, ni fortune de naissance ni même obligatoirement un quotient intellectuel de 160, il EST une personne ordinaire.

Une personne ordinaire qui, en plus, n'a souvent pas l'air... d'un millionnaire, qui ne conduit pas nécessairement une voiture neuve de 100 000$, ni même de 50 000$, qui ne vit pas nécessairement dans le quartier le plus huppé de sa ville, et qui, s'il y vit, n'habite pas nécessairement la plus grosse maison de sa rue, (toujours un mauvais placement en immobilier où il est préférable d'avoir la plus modeste maison de sa rue, ce qui en attire le prix vers le haut!)...

Oui, le millionnaire paresseux n'a souvent pas l'air d'un millionnaire, il ne porte pas nécessairement des vêtements griffés, ni une montre Rolex, ni des souliers Gucci, ne voyage pas nécessairement en première classe (l'avion n'arrive pas plus vite qu'en classe économique d'ailleurs, a-t-il très tôt constaté dans sa vie!) et ne descend pas dans les plus grands hôtels quand il voyage...

Souvent, par choix, – et ce n'est pas par peur d'étaler sa fortune, – il s'habille même plus modestement que quelqu'un qui n'a pas le dixième de sa fortune...

Certains millionnaires paresseux sont même comme *L'Homme invisible*, la célèbre création de H.G.Wells, qui a enchanté votre enfance, si du moins vous avez mon âge...

Vous les croiseriez dans la rue, et vous ne les verriez même pas.

Le plus bel exemple de millionnaire paresseux « invisible » et qui en tout cas n'avait pas l'air d'un millionnaire – mais alors là, vraiment pas! – c'est sans doute mon oncle Maurice Drouin.

Quelques années avant sa mort, il a demandé à mon cousin, notaire de profession, de rédiger son testament.

Mon cousin a refusé gentiment en prétextant qu'il n'avait pas le temps, mais en fait en croyant que ça ne valait pas la peine.

Il le croyait sans-le-sou.

Il le croyait sans-le-sou parce que toute sa vie mon oncle a été un petit employé d'Hydro-Québec, il s'est habillé modestement, a conduit une voiture américaine bon marché et a habité dans un simple duplex de Rosemont.

Quand il est mort, il a causé une véritable commotion dans la famille en laissant, en argent comptant, la somme de... 800 000 $!

Oui, 800 000 $!

Son duplex de Rosemont était payé depuis longtemps, et valait plus de 225 000 $.

Quant à ses autres biens: meubles, bijoux, voiture usagée, ils ne valaient même pas 10 000 $, ce qui prouve la modestie dans laquelle il a vécu toute sa vie.

Il était donc, à proprement parler... millionnaire!

Tout juste, mais millionnaire quand même...

Évidemment, il ne correspond qu'à la moitié « austère », dirons-nous, la moitié « défensive » de la définition du millionnaire paresseux, car s'il avait poussé à l'extrême la partie frugale de ses qualités (faite, entre autres, de sa prévoyance et de sa propension extrême à épargner) il n'a pas du tout exprimé sa partie « divertissante »...

Il n'a pour ainsi dire jamais « vécu », ne mangeait pas au restaurant trois fois par année, ne jouait pas au golf, ne voyageait pas, en fait n'avait jamais quitté le pays...

Mais il a vécu cette vie parce qu'il a choisi de se consacrer, avec un dévouement admirable, à son fils unique, né infirme.

Quelques années avant sa mort, le flamboyant milliardaire britannique Robert Maxwell a dit, dans une entrevue: « Je n'ai pas l'intention de laisser quoi que ce soit à mes enfants... »

Aveu tristement prémonitoire car lorsqu'il est mort, probablement APRÈS s'être jeté à la mer, désespéré, du haut du pont de son luxueux yacht, il n'a effectivement rien laissé à ses enfants. Il était ruiné, même si, avant sa mort, il avait tout tenté pour éviter la faillite, comme de s'emparer de la caisse de retraite de ses employés, comme de donner deux ou même trois fois en garantie, pour des prêts bancaires, les actifs de... la même compagnie!

C'est un peu navrant quand on y pense, car cet homme célèbre, qui fréquentait ou en tout cas se vantait de fréquenter les grands de ce monde, était, au fond, à sa mort, moins riche que mon « pauvre » oncle Maurice, dont vous n'avez jamais entendu parler, sinon dans ces pages...

Non seulement Maxwell n'a-t-il rien légué à ses enfants, mais en fait il leur a laissé des dettes et des procès sur les bras pour les diverses malversations auxquelles il s'était livré.

Mon oncle, lui, a laissé un million à sa « pauvre » veuve...

L'habit ne fait pas toujours le moine... même avec les milliardaires!

Et pourtant on juge tellement les gens par la voiture qu'ils conduisent, par les vêtements qu'ils portent, c'en est désolant...

Un exemple amusant de ce travers?

Pendant des années, je prenais tous mes repas au restaurant (j'en reparlerai plus tard).

Étant romancier, je travaille à la maison et mon « uniforme » n'a rien de « glamour ». En fait, je m'habille mal quand j'écris, autant sinon plus que la plupart des écrivains: je ne m'en vante pas, je m'en confesse simplement!

Or un matin, j'avais une entrevue à la télé.

Pour surprendre ma fille qui avait alors six ans, et aussi pour lui prouver que je pouvais aussi porter un costume, comme les pères de la plupart de ses amies qui ont de « vrais » emplois, j'en ai mis un.

Avec une jolie cravate italienne en soie.

Quand même...

Ce qui m'a d'ailleurs valu de la bouche de ma fille le plus doux compliment du monde car lorsqu'elle m'a vu, elle s'est écriée: « Ah! ce que tu es beau, papa! »

Quand je suis arrivé au restaurant, gonflé d'orgueil, la serveuse, qui m'apportait tous les matins mon café et mes toasts, et ne m'avait pas reconnu (pas comme client mais comme romancier: ça m'arrive encore quelques fois!) m'a dit, le visage ravi:

«Vous avez trouvé un emploi?»

Ça m'a pris une fraction de seconde pour comprendre ce qui se cachait derrière sa question.

«Oui!» ai-je répondu pour simplifier les choses.

Le lendemain lorsqu'elle m'a vu dans ma tenue habituelle de romancier, avec mon vieux jean et ma chemise froissée, elle m'a dit, sincèrement désolée: «Ça n'a pas marché?»

Et pour simplifier, à nouveau, j'ai dit, l'air piteux: «Non...»

Et elle a dû s'étonner de mon égalité d'humeur et de mon courage devant un destin contraire, car je lui ai laissé un pourboire aussi généreux que la veille. L'idée l'a peut-être même effleurée, par compassion, de me le rendre...

Et pourtant, la vérité est que je gagne sans doute plus en une heure que ce qu'elle gagne en un mois!

Je ne dis pas ça par stupide vantardise bien sûr et encore moins par mépris pour ce métier dont j'admire... plusieurs ambassadrices, mais simplement pour montrer à quel point, dans notre société, nous nous laissons berner par les apparences...

En fait, je suis sûr que tous les jours nous croisons dans la rue des gens qui sont loin de donner l'impression de l'être, qui ne sont pas habillés en millionnaires et qui pourtant le sont, comme du reste nous croisons des gens (encore plus nombreux, je crois!) qui sont habillés en millionnaires et... ne le sont pas!

Mais revenons à la définition de notre millionnaire paresseux...

Contrairement aux riches héritiers ou à ceux qui ont reçu un petit (ou gros!) coup de pouce de leurs parents, le millionnaire paresseux n'a pas besoin de plus d'une génération pour devenir fortuné.

Il n'a même pas besoin de 50 ans ou même de 30 ans...

Il devient indépendant de fortune souvent en moins de 20 ans, ce qui veut dire que s'il est précoce (lisez: exceptionnel!) et s'est mis en route à 20 ans, eh bien, à 40 ans, il est mort de rire et non de fatigue comme tant de ses contemporains!

Parfois il n'a besoin que de 10 ans, même de 5 ans seulement, ce qui du reste est plus rare, je l'admets.

Et alors, en regardant le chemin parcouru en si peu de temps, et son compte en banque non seulement garni mais qui continue constamment à se remplir malgré sa « paresse », il est souvent étonné de constater qu'il lui aura fallu un travail somme toute facile, beaucoup plus facile que celui qu'il a accompli jusque-là, pour obtenir des résultats si spectaculaires qu'ils font littéralement sauter la banque !

Mais ce qu'il faut retenir, c'est que, comme j'ai dit plus haut, 95 % des millionnaires d'Amérique (et il y en a un nouveau à toutes les minutes !) sont des gens ordinaires, qui exercent des métiers ordinaires.

Seulement, comme le millionnaire paresseux, ils ont une manière de penser, de dépenser et d'utiliser leur temps complètement différente des... gens ordinaires.

Et c'est pour ça, et non pas pour leur talent, leur chance, leur génie financier ou le fait qu'ils ne font rien d'autre que travailler qu'ils sont des millionnaires paresseux !

En lisant ce livre, – un investissement de trois ou quatre heures seulement ! – vous découvrirez comment y arriver, comment tirer votre épingle du jeu grâce à des règles, des habitudes et des secrets fort simples et à la portée de gens bien ordinaires comme vous et moi.

Dans ce livre, sans aller jusqu'à vanter les mérites du farniente, je ferai systématiquement l'éloge de la paresse intelligente, et de toutes les astuces qu'elle recèle.

Je sais que mes réflexions, mes observations et mes suggestions vont sans doute choquer les bien-pensants, qui ont été formés à la vieille école...

Mais ce n'est pas grave : laissons-les à leur labeur, à leurs soucis, et à leurs ulcères d'estomac !

Je sais que je vais aussi sans doute vous surprendre, bousculer vos habitudes, vous obliger à réfléchir...

Mais puisque vous lisez ce livre, c'est que vous êtes prêt à subir quelques surprises et quelques chocs...

Puisque vous lisez ce livre, c'est que vous avez manifesté une disposition naissante de millionnaire paresseux.

C'est tout ce qu'il vous faut, au départ, cette ouverture d'esprit, pour pouvoir penser, au moins pendant quelques , en millionnaire paresseux.

Vous pourrez alors apprendre comment :

1. faire plus d'argent, deux fois, cinq fois plus qu'avant en travaillant deux fois, cinq fois moins dur qu'avant !
2. avoir plus de temps libre pour faire ce qui vous plaît : voyager, jouer au golf, apprendre une deuxième ou troisième langue, lire, écrire, voir plus souvent vos amis, vos enfants, votre conjoint…
3. avoir l'impression de vous amuser plutôt que de travailler,
4. avoir l'impression d'être toujours en vacances !

Et ça, ça n'a pas de prix : et vous verrez que c'est la meilleure médecine du monde, tant pour votre esprit que votre corps !

Soit dit en passant, ce livre ne s'adresse pas seulement à ceux qui veulent s'établir à leur compte et devenir rapidement millionnaires…

Les nombreuses astuces du millionnaire paresseux vous seront aussi utiles si vous êtes un employé d'une petite ou grande entreprise, un fonctionnaire du gouvernement, un employé de banque, un vendeur, une secrétaire, un électricien, un professeur, un comptable, un petit commerçant et que vous voulez :

1. faciliter votre travail ;
2. gravir plus rapidement les échelons ;
3. voir votre salaire et vos avantages connaître un bond spectaculaire ;
4. améliorer de manière inattendue vos relations avec vos collègues, vos employés, vos élèves, votre famille, votre conjoint et vos amis…

Tous ces résultats étonnants, vous les obtiendrez sans avoir à déployer de grands efforts, simplement en effectuant de petits changements, en apparence insignifiants, dans votre manière de travailler (ou de… NE PAS travailler !), dans votre manière de penser et de… dépenser !

De petits changements qui feront, dès la première année, dès le premier jour, en fait, une grande différence dans votre travail, dans votre compte en banque, et surtout, oui, SURTOUT, dans votre niveau de liberté intérieure, qui pour moi est la mesure véritable du bonheur!

Mais à la vérité qu'est-ce qui distingue un millionnaire paresseux de vous?

Chapitre 2

Pourquoi n'êtes-vous pas déjà un millionnaire paresseux?

Quelle est la différence fondamentale entre un millionnaire paresseux et vous?

Elle est simple: vous êtes OBLIGÉ de travailler 8, 10 ou 12 heures par jour, 5, 6 ou 7 jours par semaine, 48, 50 ou 52 semaines par année!

Lui... N'EST PAS OBLIGÉ!

Et s'il le fait c'est parce qu'il le veut bien, c'est parce que son travail le passionne et l'amuse, comme un jeu, comme un loisir.

Il faut d'ailleurs préciser que s'il lui arrive de travailler plusieurs heures par jour, il travaille rarement 52 semaines par année, parce qu'il sait que les vacances (fréquentes) sont essentielles non seulement à son bonheur mais à sa productivité, son équilibre et sa santé...

Et pourquoi consacrez-vous beaucoup plus d'heures que lui à votre travail?

Pour une des 12 raisons suivantes:

1. parce que, bien sûr, et c'est la raison qui vient le plus spontanément à l'esprit, vous êtes payé insuffisamment pour le travail que vous faites. Oui, vous êtes sous-payé, parce que vous n'êtes pas suffisamment conscient de votre valeur réelle: vous acceptez de travailler pour 8$, 15$ ou 75$ de l'heure alors que vous pourriez en gagner 200$, 500$ ou 1 000$! Oui, 1 000$ de l'heure sans être avocat ou chirurgien plastique!

2. vous gérez mal votre temps et mettez trop de temps à faire ce que vous faites, vous passez votre temps à confondre les choses urgentes avec les choses importantes, et surtout, vous passez le plus clair de votre temps à faire des choses peu payantes, car vous n'utilisez pas la loi du moindre effort ou loi du 80\20, qui pourrait vous permettre de doubler, de quintupler vos revenus...
3. vous ne vous rendez pas compte que de petites dépenses invisibles et régulières ont de grands effets appauvrissants sur votre vie et vous n'avez pas découvert les vertus surprenantes de l'épargne: surtout, vous vivez au-dessus de vos moyens, ce qui vous oblige à travailler toujours plus sans jamais pouvoir vous arrêter, sans jamais pouvoir investir ou mettre de l'argent de côté...
4. vous payez toujours le prix qu'on vous demande pour vos achats alors que vous devriez payer le prix du... millionnaire paresseux et ainsi économiser des milliers de dollars, par exemple 2 800 $ sur une voiture flambant neuve !
5. vous êtes exactement le contraire du millionnaire paresseux: vous êtes... un esclave consciencieux ! Vous êtes un anxieux ou un perfectionniste incapable de déléguer et laisser les autres travailler à votre place...
6. vous êtes allé à l'école mais vous ne vous êtes pas donné l'éducation du millionnaire paresseux, qui vous permettrait d'assainir vos finances, de couper dans les dépenses inutiles, mais aussi de trouver une idée ou un filon, de démarrer une petite compagnie que vous pourriez, au bout de 10 ou 15 ans, vendre 7 ou 8 millions et peut-être beaucoup plus...
7. vous ne disposez pas de sources de revenus alternatifs, de revenus passifs ou résiduels, qui vous libéreraient de l'obligation de travailler tous les jours de nombreuses heures, et ce, jusqu'à l'âge de la retraite et même... passé cet âge parce que vous n'arriveriez pas à garder un train de vie convenable sans votre salaire...
8. vous n'utilisez pas à bon escient la puissance secrète de l'objectif, qui pourrait vous permettre de gagner 15 000 $ de

plus en à peine deux heures, et ce, année APRÈS année. Ou plutôt vous utilisez le pouvoir de l'objectif mais... de manière pernicieuse, sans même vous en rendre compte, et vous perdez des milliers de dollars par année!

9. vous utilisez rarement ou pas du tout l'effet de levier alors que le millionnaire paresseux le fait systématiquement
10. vous ne disposez pas d'une structure fiscale qui vous permet de tirer tous les avantages légaux possibles de vos revenus: en somme vous faites comme la grande majorité des gens qui travaillent de janvier à mai seulement pour payer leurs impôts et les diverses charges sociales!
11. vous ne savez pas comment utiliser à profit la technique du seau et de la louche invisibles dans vos relations avec les autres: collègues, employés, famille, et vous êtes peut-être moins positif que vous ne croyez...
12. Enfin, de manière plus générale, vous êtes persuadé que les millionnaires paresseux ne méritent pas de gagner autant d'argent parce qu'ils travaillent deux fois, dix fois moins que vous!

Vous êtes persuadé qu'ils méritent encore moins de conduire une voiture plus belle que la vôtre, d'avoir une plus jolie maison (sans compter le chalet ou le condo au bord de la mer!) et de prendre si souvent des vacances et au surcroît dans des endroits exotiques dont vous ne pourrez que rêver toute votre vie!

Chapitre 3

Le millionnaire paresseux aime le travail... de ses actifs !

Il y a plusieurs années, je suis arrivé chez moi au volant d'une BMW 525 vieille de deux ans qui était dans une condition exceptionnelle.

Je m'empresse de la montrer à ma femme occupée à arroser nos fleurs.

Au lieu de me féliciter de ma nouvelle acquisition, comme je m'y attendais, elle fronce les sourcils et me demande sur un ton qui n'a rien de prometteur.

« Tu as acheté une nouvelle voiture ?

– Heu, non... j'ai juste fait un petit dépôt de 200 $ pour la réserver, je voulais te la montrer avant de compléter l'achat...

– On a déjà une BMW ! Pourquoi en acheter une autre ? En plus on a une wagonnette. On n'a pas besoin de trois autos !

– Justement, le type est prêt à me donner 10 000 $ pour ma vieille BMW, et j'ai réussi à lui faire baisser son prix de 8 000 $. Il me la donne quasiment. Pour 30 000 $, j'ai une voiture qui en vaut 48 000 $.

– Pas pour 30 000 $, pour 40 000 $ », me fait observer fort justement ma femme, qui ne s'est pas laissé berner par mon sophisme, « parce que tu lui donnes quand même en échange une voiture qui vaut 10 000 $... »

Je ne sais pas si vous êtes comme moi, mais ça me contrarie quand ma femme me contredit.

Surtout si en plus elle a raison !

Je reviens à la charge :

« Quand même, c'est une occasion qui ne se représentera pas de sitôt, et notre BM a déjà cinq ans et commence à être fatiguée, qu'est-ce que tu en dis ? »

Ma femme reste de marbre :

« Ce que j'en dis, c'est qu'à la place, tu devrais acheter la petite maison blanche que je t'ai montrée l'autre jour. »

Nous sommes allés la visiter le soir même, au volant de... ma vieille BM, puisque j'avais rendu la clé de « ma » belle BM au vendeur. Qui me remit gentiment mes 200 $ de dépôt.

La maison ne payait pas de mine et le prix qu'en demandait le vendeur me parut excessif : 40 000 $. (C'est un prix d'une autre époque, je sais !) Sa fille, qui l'habitait depuis des années, ne souhaitait pas la quitter, ce qui avait rendu la vente de la maison plus difficile, car en général les gens achètent pour habiter.

J'y vis un avantage et fis une offre vraiment basse, mais comptant de 23 000 $, en assurant par écrit au vendeur que j'étais prêt à signer avec sa fille un bail de 3 ans sans augmentation.

Le vendeur, qui avait la maison depuis plus de 20 ans et voulait s'en débarrasser, me fit une surprenante contre-offre de 25 000 $ que, beau joueur, j'acceptai sans négocier plus avant.

J'avais une maison au lieu d'une voiture neuve (enfin presque), une maison qui me donnait un petit revenu passif mensuel de 400 $. Moins les taxes, qui étaient peu élevées, et les assurances, il me restait 300 $ par mois.

« Tu vois, me dit ma femme, c'est beaucoup mieux, si tu faisais des paiements de voiture de 300 $ par mois, ça te ferait un tarif différentiel de 600 $.

– Mais je voulais la payer comptant, la voiture !

– Je sais, mais ce que j'ai dit, c'est que SI tu faisais ce paiement de 300 $, tu aurais un calcul différentiel de 600 $.

Elle me contredisait une fois de plus.

Et une fois de plus elle avait raison.

Donc une fois de plus ça me contrariait !

Mais en même temps, secrètement, je me félicitais d'avoir choisi pareille femme – si tant est que c'est moi qui l'eusse choisie parce qu'en général, c'est la femme qui choisit même si l'homme pense le contraire !

Oui, je me félicitais de m'être laissé choisir par une femme qui, en plus d'être extrêmement jolie, savait si bien compter et était si peu dépensière, contrairement à certaines femmes de mes amis : je ne sais pas comment ils font !

Un différentiel, si vous ne le savez pas, ce n'est pas juste ce qui se trouve dans une voiture, et qui fait... je ne sais pas vraiment quoi !

En langage financier, ça veut dire ceci :

Si vous utilisez votre argent pour gagner 300 $, au lieu d'en dépenser 300 $, vous devez additionner ces deux montants pour connaître l'impact réel de ce geste dans votre compte en banque.

Cette addition, c'est le différentiel.

Un autre exemple de différentiel, tout aussi intéressant, je crois.

Nous avons un minuscule chalet où, pour diverses raisons, (peut-être parce que nous avons déjà une piscine et un jardin à la maison) nous n'allons pas trois fois par année. Malgré sa petitesse, il entraîne quelques dépenses : je dois le chauffer, payer l'électricité. (Les taxes foncières, c'est le voisin qui les paie : il est mon locataire, car quand j'ai acheté la maison qu'il occupe, j'ai appris qu'il y avait aussi sur le lot une petite résidence secondaire, qui est justement devenue la nôtre) !

Ces dépenses représentent peu, mais disons 200 $ par mois.

L'autre jour, ma femme m'a fait remarquer que puisque nous n'y allons jamais, nous devrions à la place la louer en disant :

« Si on la louait 500 $ par mois on aurait un différentiel de 700 $. »

Elle avait raison une fois de plus.

Parce que le chauffage et l'électricité, c'est mon locataire qui les paierait.

Ainsi, au lieu d'avoir une dépense mensuelle de 200 $, j'aurais des revenus mensuels de 500 $.

Les gens oublient souvent cette notion de différentiel.

Les millionnaires paresseux ne l'oublient jamais.

Ou en tout cas, s'ils l'oublient, leur femme ne l'oublie pas!

Si elle est comme la mienne!

C'est pour ça que chaque fois qu'il le peut, et le plus tôt possible et le plus souvent possible, le millionnaire paresseux tente d'utiliser son argent (ou l'argent de la banque!) pour acquérir des actifs plutôt que pour se créer des passifs: je ne parle pas bien entendu de revenus passifs!

Pour ceux qui ne seraient pas encore familiers avec ce jargon, disons simplement que si vous achetez une auto, et a fortiori si vous ne l'achetez pas comptant mais vous vous engagez pour 3 ou 4 ou 5 ans à faire des paiements mensuels, vous venez de vous créer un passif.

Je sais que, dans votre bilan, les banques vont mettre votre auto dans la colonne des actifs, surtout si elle est payée en tout ou en partie. Mais votre auto perd 20 % de sa valeur dès la première année, et est une source de dépenses (paiements mensuels, souvent à des taux d'intérêt élevés, assurances, réparations, essence, etc.) Bon, je sais, il en faut une: il est difficile de sillonner les rues au volant d'un… duplex!

Mais à vos débuts, vous pourriez garder plus longtemps votre vieille voiture, comme j'ai fait. Qui vous dit que vous êtes obligé de la changer tous les deux ou trois ans?

Rares sont les millionnaires paresseux qui ont agi de la sorte à leurs débuts!

Et en plus, en retardant le moment de changer de voiture, vous ne diminuez pas votre capacité d'emprunt qui est établie à partir de toutes vos obligations mensuelles. Votre « ratio » est tout de suite meilleur.

Quand au lieu d'acheter une auto vous achetez (bien) une propriété que vous louez (bien), c'est un actif puisqu'en principe elle prend de la valeur chaque année et en plus elle vous rapporte un revenu passif chaque mois, passif en ce sens que vous n'avez pas besoin d'être là, et de vraiment travailler pour le recevoir.

Ce qui est grosso modo la définition de revenus passifs, l'exemple extrême étant évidemment les revenus d'intérêts que vous rapporte un dépôt bancaire…

Un jour, j'étais avec ma fille, et je lui dis que nous devions aller rencontrer un locataire qui avait la manie de payer son loyer comptant.

C'est mieux que de ne pas payer du tout même si c'est un peu ennuyeux pour le propriétaire qui doit se déplacer : enfin, rien n'est parfait...

Ma fille me demande :

« C'est quoi, un locataire, papa ?

– C'est quelqu'un qui paie pour la maison qu'on a achetée. Quand elle va être toute payée, plus tard, papa va te la donner.

– Ils sont gentils, les locataires.

– Oui, et c'est pour ça que papa est gentil avec eux.

– Mais pourquoi ils ne s'achètent pas une maison, les locataires ? Ensuite ils pourraient faire comme toi et la donner à leur enfant. »

Question profonde !

S'ils n'achètent pas une maison et préfèrent rester locataires, c'est peut-être qu'ils ont écouté les avis de certains conseillers financiers qui estiment que la maison qu'on achète pour l'occuper est un passif au lieu d'être un actif.

Moi, j'estime plutôt que la vérité sort de la bouche des enfants, du moins dans ce cas...

Bien entendu si vous achetez une maison qui est au-dessus de vos moyens, qui vous étrangle, dont les taxes sont très élevées, c'est un mauvais placement...

Et pourtant, comme, depuis des siècles, l'immobilier a toujours été une des manières les plus sûres grâce à laquelle les riches sont devenus plus riches et les pauvres moins pauvres, je trouve qu'il faut acheter.

Je trouve même que tout parent qui se respecte – et qui évidemment en a les moyens ! – devrait donner un petit coup de pouce à son enfant en l'aidant à s'acheter le plus tôt possible dans sa vie – en fait à partir du moment où il décide de quitter la maison familiale – sa première propriété, quitte à se faire rembourser plus tard l'argent qu'il lui aura prêté.

Pourquoi ?

Parce que, à 30 ans, âge où en général les jeunes gens achètent leur première propriété, ils auront en général vécu 10 ans en appartement.

Ils auront facilement dépensé 500 $ par mois pour leur appartement qu'ils doivent chauffer et éclairer.

Ça fait 6 000 $ par année.

En 10 ans, ça fait 60 000 $.

C'est une somme, quand même!

Et que leur reste-t-il?

Zéro plus zéro plus zéro!

Tandis que s'ils avaient acheté un petit condo, disons de 100 000 $, ils auraient eu des dépenses mensuelles d'habitation un peu plus élevées sans doute, peut-être de 700 $, avec l'hypothèque, les taxes, les assurances et le chauffage...

Mais ils peuvent se serrer la ceinture, prendre un (ou deux!) colocs qui leur paieront les 200 $ ou 300 $ manquants, travailler un peu plus dur...

Que sont 200 $ par mois?

50 $ par semaine...

Une bagatelle, même pour un jeune travailleur...

Dans 5 ans, en supposant que le marché connaisse l'augmentation moyenne qu'il a connue depuis les 50 dernières années, soit 5 %, ce condo vaudra plus de 127 000 $...

Dans 10 ans, il vaudra plus de 160 000 $...

En 10 ans, le solde hypothécaire qui était au départ de 90 000 $ (achat avec 10 % de mise de fonds) sera passé, disons, à 75 000 $.

Équité ou si vous préférez ce qui vous reste dans vos poches en cas de vente (sans agent, il est vrai) : 85 000 $.

Et même si le marché avait été plus lent et que vous aviez vendu avec agent, supposons qu'il vous reste 50 000 $, c'est encore un joli magot pour un jeune homme ou une jeune femme de 30 ans qui autrement n'aurait rien eu dans ses poches pour faire son premier achat...

Pourquoi faut-il acheter?

Pas seulement parce que c'est en général un bon placement, mais aussi parce que l'investissement immobilier est UNE ÉPARGNE FORCÉE.

C'est même en général la seule manière dont les gens PEUVENT ÉCONOMISER.

L'achat de la petite maison blanche me réservait pourtant une surprise désagréable.

Car dès que j'en devins propriétaire, je compris pourquoi le vendeur me l'avait laissée pour une bouchée de pain : sa fille ne lui payait probablement jamais le loyer.

En tout cas, elle ne me paya que le premier mois.

Au début, mon optimisme de jeune investisseur fut ébranlé.

Mais tout de suite, je me dis : « *Voilà le signe que t'envoie la vie pour que tu fasses plus l'argent. Tu voulais garder cette maison, à la place, vends-la !* »

Au deuxième mois de retard, je proposai à la locataire d'effacer sa dette et en plus de lui donner 500 $ pour déménager rapidement, un conseil que mon mentor immobilier m'avait donné.

Elle accepta.

Je fis des rénovations rapides et économiques de millionnaire paresseux, qui s'élevèrent à 5 000 $ et revendit la maison 55 000 $.

Elle me revenait à 30 000 $.

Une fois payée la commission, il me restait environ 50 000 $, donc un profit de 20 000 $.

Avec les 50 000 $, et grâce à quelques astuces de financement que m'enseigna une fois encore mon mentor, j'achetai 3 autres maisons que je ne revendis pas mais refinançai. (Voir à ce sujet la deuxième partie de mon livre *Les Principes spirituels de la richesse* intitulée : Le levier d'or, chez le même éditeur).

Six ans plus tard, je possédais un sympathique parc immobilier évalué par la banque (donc de manière conservatrice) à 3 000 000 $...

Oui, trois millions...

J'avais transformé les 30 000 $ que je souhaitais consacrer à l'achat d'une voiture en un actif de 3 000 000 $, parce que, au fond, j'avais écouté docilement ma femme et j'avais acheté une affreuse petite maison au lieu d'une jolie voiture: j'avais acheté une chose qui prenait de la valeur, UN ACTIF, au lieu d'une chose qui en perdait: UN PASSIF...

Un actif qui, la première année, sans que je fasse rien, et en supposant toujours une croissance de 5 %, m'enrichira de 150 000 $...

Encore une fois, je ne dis pas ça par stupide vantardise...

D'ailleurs pour des gens vraiment riches, un actif (immobilier ou pas) de 3 000 000 $, « c'est des peanuts », comme on dit.

Je voulais juste montrer comment quelqu'un qui ne s'y connaissait pas du tout en immobilier (j'avais un bon mentor, il est vrai!) et qui en plus était... romancier! a pu transformer 30 000 $ en 3 000 000 $ en à peine 6 ans...

En outre, ces propriétés me rapportent un revenu passif de 50 000 $ par année, en échange d'un travail de 5 ou 6 heures par semaine, en moyenne.

En moyenne, car parfois je ne fais rien pendant 3 semaines, je ne reçois même pas un appel de locataire, et j'ai l'impression d'être... payé à rien faire!

C'est justement le charme des revenus passifs et c'est précisément pour cette raison qu'ils plaisent tant aux millionnaires paresseux!

Bon, je sais, 50 000 $, ce n'est pas le Pérou...

Et pourtant, bien des gens se contentent d'une somme inférieure au moment de la retraite...

Et puis quand j'arriverai à l'âge de la retraite (si tant est que ce mot ait un sens pour un romancier!) je pourrai petit à petit vendre ces maisons qui seront toutes payées, et qui vaudront probablement le double, donc 6 millions!

Bon, je sais, les impôts en grugeront une partie mais il en restera quand même un peu, non?

Plus en tout cas que la pension de vieillesse que le gouvernement versera... si du moins il en a encore les moyens!

Quand j'évoque cette aventure, on me pose souvent les questions suivantes:

Ai-je été empêché d'écrire?

Non.

J'ai fait mon roman annuel.

Ai-je eu plus de soucis ?

Oui, je l'admets.

Mais comme on dit : on n'a rien sans rien.

Ai-je travaillé plus dur ?

Oui, et j'ai sacrifié d'assez nombreux week-ends à des travaux de rénovation que je ne réalisais pas moi-même mais que je supervisais, si bien que j'ai joué au golf un peu moins souvent que j'aurais voulu…

Nous sommes-nous privés ?

Non.

Nous avons gardé le même train de vie.

Suis-je content d'avoir fait ces sacrifices ?

Oui.

Très.

Parce que, honnêtement, ça m'amusait, et en outre ça me changeait de mon travail de romancier.

À chaque fois que nous achetions une nouvelle maison, ma femme disait, par exemple :

« Le loyer de celle-ci paiera pour notre électricité ! »

Ou :

« Le loyer de celle-là paiera pour nos taxes ! »

Ou encore :

« Le loyer de celle-là pour la garderie de Julia ! »

Je trouvais cette idée intéressante – même si elle ne venait pas de moi !

Ses conséquences d'ailleurs me renversèrent littéralement.

C'est que, à un moment donné, lorsque vos revenus passifs excèdent vos dépenses, eh bien… VOUS ÊTES LIBRE !

C'est bien beau, me direz-vous, d'acheter des maisons, pour avoir des revenus passifs et des actifs qui prennent de la valeur avec le temps, mais si je ne les ai pas, les 30 000 $ que vous aviez pour démarrer, qu'est-ce que je fais ?

Vous vous mettez immédiatement à la recherche de la personne dont je vais vous parler dans le prochain chapitre!

Chapitre 4

Le millionnaire paresseux s'enrichit plus vite grâce à son mentor

Newton a dit: « Si je me suis élevé si haut, c'est que je m'étais hissé sur les épaules des géants… »

Il parlait bien entendu des géants du passé, les philosophes et les savants qui étaient venus avant lui, et dont il avait étudié les œuvres et la pensée.

Le millionnaire paresseux fait la même chose.

Il se hisse sur les épaules des géants.

Il se laisse « porter » par les grands…

Au lieu de se dire, comme tout le monde: « *On a toujours besoin d'un plus petit que soi* », il se dit, sagement: « *On a toujours besoin d'un… plus grand que soi !* »

C'est moins de travail, et ça lui permet de faire des… pas de géant !

Ce qu'il veut précisément: en fait c'est sa spécialité !

Il s'inspire donc de l'exemple de ceux qui sont venus avant lui et qui ont fait de grandes choses.

Platon eut comme professeur Socrate.

Alexandre le Grand eut Aristote.

Plus près de nous, Steven Spielberg eut comme mentor le bonze d'Hollywood, Lou Wasserman.

Donald Trump eut comme mentor son propre père, qui était promoteur immobilier dans le Bronx, et qu'il suivait sur les chantiers dès son adolescence.

Warren Buffet, dont la fortune est évaluée à 40 milliards, eut comme mentor Benjamin Graham. À la fin de ses études secondaires, il était tombé, par hasard, sur son livre, resté un classique: *L'Investisseur intelligent…*

Fasciné par cet ouvrage, le jeune Buffet décida de s'inscrire aux cours que Graham donnait à l'Université Columbia.

Après avoir obtenu sa maîtrise en économie, il parvint, après s'être fait dire non pendant trois ans, et après être allé jusqu'à offrir ses services gratuitement, à travailler à la firme de son maître à penser, Graham. Il resta deux ans sous sa tutelle, puis décida de voler de ses propres ailes. Il décida en somme de faire pour lui ce qu'il faisait pour son patron. Cinq ans plus tard, soit à l'âge de trente ans, Buffet était millionnaire. La suite appartient à l'histoire.

Plus près de moi, très près en fait, mon père fut mon mentor, par son exemple, son courage, sa discipline, son ambition éclairée. Comme il venait d'une famille pauvre, il devait, pour payer ses études universitaires, faire à bicyclette, même l'hiver, des livraisons pour l'épicerie du coin. D'ailleurs l'argent qu'il gagnait ne servait pas seulement à payer ses études aux HEC mais aussi à nourrir ses deux frères et ses quatre sœurs, comme il arrivait souvent à l'époque!

Oui, c'est mon père qui fut mon premier mentor, et qui ne me laissa pas le choix, lorsque, m'étant ouvert à lui de mon intention de quitter mon emploi pour tenter ma chance comme romancier, à 31 ans, il me surprit en me disant: « Si tu ne le fais pas tout de suite, tu ne le feras jamais! »

Je ne sais pas si j'aurais le courage de dire cela à ma fille, si elle désirait devenir romancière à son tour, suivant l'exemple de son père!

Le mien, dans sa sagesse de grand conseiller financier, ajouta cependant: « Par contre, ta courbe économique risque de connaître un léger fléchissement dans les prochains mois! »

En d'autres mots, il me disait, avec une admirable litote: « Tu risques de crever de faim, fiston! »

Comme je suis positif, tout comme lui, je retins surtout la première partie de son conseil admirable dont tout un chacun devrait s'inspirer dans sa vie, il me semble:

« SI TU NE LE FAIS PAS TOUT DE SUITE, TU NE LE FERAS JAMAIS ! »

Aussi ai-je plongé !

Je ne l'ai jamais regretté.

Mon père fut mon mentor d'une autre manière.

Ce qu'il plaçait plus haut que tout, je crois, c'est la valeur infinie de l'éducation.

N'avait-il pas parfaitement raison ?

On peut tout nous enlever : notre fortune, nos amis, notre maison, notre femme.

Mais notre métier, et surtout, ce que l'on sait, et surtout, notre volonté d'apprendre constamment, notre curiosité insatiable, personne jamais ne pourra nous les enlever.

Ils sont à nous pour toujours.

Ils SONT nous.

Et par conséquent, c'est notre bien le plus précieux, surtout dans un monde où tout se transforme à une vitesse phénoménale si bien qu'il faille continuellement parfaire son éducation, qu'il faille continuellement, et pour toute notre vie, continuer à apprendre.

Jeune, mon père, mentor littéraire sans le savoir, nous payait, mes sœurs et moi, 10 cents de l'heure pour lire.

Aujourd'hui, je suis payé pour… écrire !

Amusant, non ?

Et dire qu'il s'en trouve encore pour dire que ce que font et disent les parents à leurs enfants n'est pas important !

Le millionnaire paresseux sait l'importance du mentor dans son succès.

Au début de sa carrière, bien entendu, mais aussi tout au long de sa vie, selon son évolution et ses besoins.

Dans son ouvrage *Ogilvy On Advertising*, que j'ai déjà cité, le grand publicitaire David Ogilvy rapporte une anecdote fort instructive. Il bavardait avec Stanley Resor, qui fut, pendant 45 ans, le dirigeant de la célèbre agence de publicité J. Walter Thompson : « Chaque année, lui confia Resor, nous dépensons des centaines de millions de dollars de l'argent de nos clients. Et à la fin, que savons-nous? Rien. Alors il y a 2 ans, j'ai demandé à 4 de nos employés de tenter d'identifier les facteurs qui en général marchent. Ils en ont déjà trouvé 12!»

David Ogilvy commente: «J'étais trop poli pour lui dire que j'en avais 96!»

Imaginez, pour un jeune loup de la publicité, l'avantage immense qu'il y aurait à dénicher un mentor tel que David Ogilvy!

Combien a-t-il fallu d'années à ce dernier pour découvrir et apprendre à utiliser correctement ces 96 facteurs?

Combien a-t-il dépensé d'argent – celui de ses clients bien sûr, mais aussi le sien – pour acquérir cette expérience inestimable?

J'ai un ami investisseur immobilier.

Ce n'est pas le plus grand, mais ce n'est pas le plus petit non plus car il possède 300 portes, comme on dit en jargon du métier, et vaut par conséquent plusieurs millions, car il a eu en outre l'intelligence d'investir fort jeune si bien qu'il a mis la main pour 150 000$ sur des immeubles qui, aujourd'hui, en valent 700 000$ ou 800 000$...

Un jour, au cours d'un lunch, je lui ai demandé comment il faisait pour décider d'acheter ou non tel immeuble. «C'est facile, m'a-t-il dit, j'ai 37 critères!»

Quelle mine d'or seraient ces 37 critères pour le jeune homme qui réussirait à faire de mon ami son mentor!

En fait, un mentor a une valeur inestimable.

Le millionnaire paresseux le sait.

Aussi tentera-t-il, le plus tôt possible dans sa carrière, d'en dénicher un.

Il n'hésitera pas à consacrer du temps à cette tâche. Beaucoup de temps.

Parce qu'il sait que le mentor digne de ce nom peut:

1. accélérer de manière extraordinaire son apprentissage en lui révélant le fruit de son expérience
2. lui éviter des erreurs coûteuses: pas toutes cependant, parce que le jeune protégé ne «comprendra» pas tous les secrets que lui révélera son mentor même si ce dernier les lui aura expliqués de long en large: il y a des choses qu'on comprend

seulement lorsqu'on les expérimente soi-même. Et puis si le mentor en sait beaucoup, il ne sait pas tout. Surtout que le monde moderne change à une vitesse vertigineuse : si Henry Ford, à la fin de sa vie, avait répété à son jeune protégé que seulement les autos noires se vendaient, il lui aurait donné un bien mauvais conseil !

3. lui ouvrir des portes, le mettre en contact avec des gens influents, lui donner sa première chance en l'embauchant ou en le faisant embaucher par un ami ou une relation d'affaires.
4. l'aider à financer un projet en lui prêtant de l'argent, (par exemple 30 000 $ pour acheter une première maison !) ou en le présentant à son gérant de banque, éventuellement en endossant un prêt pour lui.
5. d'une manière plus générale mais non moins importante, l'influencer positivement par son exemple, sa philosophie de vie, son style…

Depuis une douzaine d'années, je suis membre au club de golf Laval-sur-le-Lac, un club dont, pour ceux qui ne le connaissent pas, font partie plusieurs membres éminents de la communauté des affaires.

Il y a une plaisanterie qui circule au sujet de « Laval », comme on dit par « abré » entre golfeurs.

Elle va comme suit : « Comment se fait-il que les verts sont si beaux à Laval-sur-le-Lac ? »

La réponse : « Parce que les membres ne portent pas à terre ! »

Il est vrai que, vu de l'extérieur, le club peut avoir l'air snob mais je peux vous assurer que cette impression s'efface complètement à la seconde même où… vous en devenez membre !

Non, sérieusement, ce que j'aime chez les membres du club, c'est la variété de leur parcours – et je ne parle pas bien entendu du parcours de golf.

Beaucoup sont avocats ou médecins, certes, et donc ont une formation universitaire importante mais d'autres se sont faits eux-mêmes, littéralement, comme le sympathique M. Lebeau, qui après une ronde de golf m'a raconté son surprenant parcours.

Il a démarré en affaires fort jeune, comme simple propriétaire d'un lave-auto.

À un moment, il a appris qu'existait une nouvelle invention, mise au point par un Suédois, pour réparer les pare-brises. Il a acheté le brevet.

Quelques années plus tard, il revendait sa compagnie, Lebeau vitres d'autos, pour plusieurs millions de dollars à des Américains.

M. Lebeau a été à ce moment un mentor pour moi.

Parce que son récit, son exemple sont inspirants.

Et instructifs.

Un simple propriétaire de « car wash » qui devient millionnaire !

Ça prouve ce qu'on sait déjà sans doute mais qu'il est bon de se faire rappeler : que bien des millionnaires, et en tout cas bien des millionnaires paresseux, (instruits ou pas !) n'ont jamais négligé l'éducation qui est peut-être la plus importante : celle qu'on se donne à soi-même !

J'en ai eu un autre exemple il n'y a pas longtemps.

Avec mon père, encore golfeur malgré ses 80 ans bien sonnés, et un ami rentier depuis des années malgré qu'il ait à peine 50 ans, (c'est un des millionnaires paresseux les plus accomplis que j'aie jamais connus !) nous nous apprêtions à jouer au golf au Diplomat, à Hallendale. Mais comme nous n'étions que trois, on nous a refilé un « quatrième », comme on dit en jargon du golf.

On se présente. Il s'appelle Michel. Quand il apprend mon nom, il m'avoue qu'il a lu mon livre *Le Golfeur et le Millionnaire* et qu'il l'a adoré. Quand il me voit frapper mon premier coup, il comprend que si je suis un des personnages du livre, ce n'est pas… le Golfeur, mais plutôt l'autre !

Entre deux coups, je lui demande ce qu'il fait dans la vie.

« Je joue au golf », répond-il laconiquement.

Il frappe une belle balle, il est vrai, mais encore…

Il m'apprend alors qu'il vient tout juste de vendre la compagnie qu'il a fondée il y a plusieurs années avec un copain. Une compagnie de bouchons de plastique qui, dans les dernières années, faisait des profits annuels de 800 000 $.

Et il me raconte alors son parcours.

Son père (son mentor) était dans les bouchons.

À seize ans, lui était simple camionneur : il livrait les bouchons que son père fabriquait.

Puis, comme il était ambitieux, il a décidé de faire pour lui ce qu'il faisait pour son patron de père.

Il vient de vendre son entreprise pour la bagatelle de 12 millions ! Qu'il a séparés en deux avec son partenaire, sans doute, mais quand même. Après impôts, il doit lui rester plus de 4 000 000 $.

Il vient d'avoir 40 ans.

Il s'était donné une éducation bien spécifique : l'éducation d'un homme capable de fabriquer si bien des bouchons de plastique qu'il a pu revendre sa compagnie 12 millions !

Certains riront peut-être de ce genre d'éducation, et parmi eux de fort sérieux détenteurs de MBA, qui ne trouvent pas assez « noble » pareille activité.

Mais lui rit jusqu'à la banque !

Cette éducation qu'on se donne à soi-même, tous les millionnaires paresseux se la sont donnée.

Ou ils ont laissé un mentor la leur donner en accéléré et à meilleur compte.

À Laval-sur-le-Lac, en tout cas, plusieurs membres sont mes mentors, sans qu'ils le sachent.

Parce que quand, au café, messieurs, le samedi matin, avant votre ronde, vous entendez un membre raconter à un autre membre qu'il vient de mettre la main sur un de ses concurrents pour la bagatelle de 10 ou de 100 millions, vous vous dites que vous devriez peut-être vous montrer un peu moins nerveux au sujet du petit investissement de... 100 000 $ que vous avez en tête !

Je ne dis pas de vous précipiter sur cet investissement sans soupeser le pour et le contre.

Un mauvais investissement, même petit, reste... un mauvais investissement !

Mais tout de même, ça place les choses en perspective, si on peut dire...

Et ça vous montre que si vous voulez réussir comme ces gens qui sont souvent partis de rien, vous devez vous aussi prendre des risques, ne pas trop vous prendre au sérieux et… foncer !

C'est d'ailleurs le principal conseil que donnait mon dernier patron, je veux dire Pierre Péladeau : « Foncez ! ».

Vous me suivez ?

C'est sans doute le simple pouvoir du contexte, qui est à la base, entre autres, de l'amusant film que vous avez peut-être vu : *Un fauteuil pour deux* (Trading Places), où Eddie Murphy, un jeune mendiant noir prend la place d'un fils de millionnaire, et devient rapidement un investisseur redoutable…

C'est une comédie, bien sûr, mais saura-t-on jamais à quel point le contexte, ou si vous voulez le milieu, a de l'influence, bien plus peut-être que les gènes, même si on dit : « Bon sang ne peut mentir ! »

Maintenant, permettez-moi d'édicter quelques règles qui vous aideront à trouver le mentor qui vous convient :

1. les mentors, même retraités, sont en général des gens occupés, dont le temps est précieux. Alors n'abusez jamais de leur temps et comprenez que c'est possible qu'ils ne puissent vous accorder un premier rendez-vous avant quelques semaines, sinon quelques mois, surtout s'ils sont encore actifs sur le marché du travail, et voyagent beaucoup. Alors soyez patient. Et confiant. Ce n'est pas parce qu'ils ne peuvent pas vous rencontrer tout de suite qu'ils ne veulent pas vous rencontrer : c'est parce qu'ils ne sont pas disponibles à ce moment-là.
2. soyez audacieux, soyez créatif dans la manière de les aborder, de vous les faire présenter. Rappelez-vous le film *Les Six degrés de séparation*, qui prétend que nous sommes séparés de TOUTE personne dans le monde par seulement 6 personnes. Je ne sais pas si je pourrais grâce à ce principe rencontrer Bill Gates, Steven Spielberg ou le pape ! Mais il y a du vrai dans ce principe. Vous connaissez sans doute quelqu'un qui connaît quelqu'un qui connaît… le mentor que vous désirez rencontrer !

3. bien qu'occupés, les mentors sont souvent plus disponibles qu'on ne croit. Ainsi, j'avais un ami qui souhaitait plus que tout au monde rencontrer Pierre Péladeau. J'en ai touché un mot à « patron », comme je l'appelais affectueusement. Eh bien « patron » a accepté de recevoir mon ami dès le lendemain. En l'accueillant dans son bureau, il lui a dit, fidèle à lui-même : « Tu as dix minutes, qu'est-ce que tu as à me vendre cr... ? » Étonnant quand même ! Cet homme qui dirigeait déjà un empire était plus disponible que des dirigeants de compagnies de... trois employés qu'on ne peut voir avant... trois semaines ! Pensez-y ! Et surtout, tenez-en compte dans votre recherche de mentor et ne croyez pas que c'est nécessairement une mission impossible parce qu'alors ça risque de... le devenir !
4. avant d'aller rencontrer votre mentor, lisez-le livre de Dale Carnegie *Comment se faire des amis et influencer les gens.* Vous y comprendrez ou vous ferez rappeler un grand principe de la psychologie humaine : pour intéresser quelqu'un, pour obtenir quelque chose de lui, il ne faut pas lui demander quelque chose. Il faut lui montrer ce qu'il pourrait obtenir s'il... nous donnait ce que l'on attend de lui ! Bien sûr, vu la « disproportion » évidente qui existe entre votre mentor et vous, ce principe ne s'applique pas toujours parfaitement parce que votre mentor ne s'attend pas nécessairement à recevoir quelque chose de vous. Mais gardez quand même ce principe à l'esprit quand vous le rencontrez, et d'ailleurs quand vous rencontrez n'importe qui dont vous voulez obtenir quelque chose : un emploi, un service, un prêt... Par exemple, offrez vos services, même gratuitement, comme le fit le jeune Buffet. Ça ne lui a pas trop mal réussi, non ? Faites sentir à votre futur mentor à quel point c'est important pour vous de travailler sous sa tutelle ou simplement de devenir son protégé. Flattez-le. Intelligemment. Je connais peu de gens insensibles à la louange. Même Dieu, je crois, dont on nous enseigne à chanter les louanges. Il doit y avoir une raison, non ?
5. faites vos « devoirs », avant de rencontrer votre mentor. Essayez d'en savoir le plus possible sur lui, sur ses débuts, sa

carrière, ses réalisations, ses rêves, ses activité caritatives et sociales, ses hobbys, ses passions. Et lors de votre rencontre, bien sûr, parlez-lui de ces choses. Rappelez-lui ses faits d'armes les plus illustres, demandez-lui de vous donner des détails ou simplement de vous les raconter à nouveau. Je n'ai encore jamais rencontré quelqu'un qui n'aimait pas relater ses brillants et modestes débuts. Même si ça fait 100 fois qu'il les raconte !

6. soyez bref et poli dans tous vos contacts avec votre mentor. Écoutez attentivement – et religieusement ! – ce qu'il a à vous dire sans l'interrompre. Remerciez-le de vous avoir accordé quelques minutes, ou quelques heures de son précieux temps.

Et surtout que ses conseils, que son exemple ne restent pas lettre morte : mettez-les en pratique le jour même !

Pas dans un mois, pas dans une semaine : tout de suite !

« Si tu ne le fais pas tout de suite, tu ne le feras jamais ! »

C'est ce que tous les millionnaires paresseux font et c'est pour ça qu'ils font des pas de géant alors que les gens autour d'eux, souvent plus instruits, souvent plus intelligents, souvent plus travailleurs font parfois du surplace toute leur vie !

Les millionnaires paresseux font aussi quelque chose de fort simple, que les gens sérieux, les gens rationnels refusent en général de faire. Et grâce à cela ils évitent des erreurs coûteuses et aussi flairent les bonnes affaires, ce qui est essentiel quand on démarre dans la vie. Et le reste du temps aussi !

Voyons tout de suite de quoi il s'agit !

Chapitre 5

Le millionnaire paresseux se fie à son intuition

Un jour, je devais rencontrer avec un éditeur, un promoteur qui organisait une grande journée de motivation, avec de nombreux conférenciers, dont certains aussi prestigieux que Jack Canfield, coauteur de la populaire série *Bouillon de poulet pour l'âme*, Les Brown, Janet Lapp, Patrick Leroux et quelques autres, dont votre modeste serviteur.

J'avais eu l'idée, pour que ma prestation soit payante à plus d'un niveau à la fois, de proposer à l'éditeur d'imprimer et de vendre en prise ferme au promoteur 10 000 exemplaires de mon livre non encore publié *Le Vendeur et le Millionnaire*, qui pourrait servir de livre-cadeau et de programme de l'événement.

Cette idée de livre-cadeau l'emballa. Moi aussi, car elle me permettait de toucher, outre mon cachet de conférencier de 5 000 $, 1 $ par livre, ce qui faisait un cachet total de 15 000 $, et permettait à 10 000 personnes de découvrir mon nouveau livre. Une sorte de lancement plutôt imposant, et légèrement plus lucratif qu'un lancement conventionnel qui coûte de l'argent au lieu d'en rapporter.

Mon but en vous racontant cette anecdote n'est pas de vous montrer comment on peut trouver un effet de levier dans différentes circonstances, mais plutôt ce qui suit.

Nous rencontrons pour le lunch le promoteur que, disons, j'appellerai Sergio, même s'il n'était pas italien.

Il arrive tout bronzé, et nous annonce qu'il revient de trois semaines de vacances au Mexique.

Tout le monde a le droit de prendre de longues vacances, et pourtant cet aveu me fait tiquer, car l'événement aura lieu dans 6 semaines à peine, et il me semble que c'est faire preuve d'un peu d'insouciance de s'absenter si longuement avant un événement qui doit en principe réunir 10 000 personnes.

Mais enfin…

On bavarde un peu, et l'éditeur tend le contrat à Sergio.

Je lui tends alors ma plume Mont Blanc et dis, à la blague, et aussi un peu, je dois l'avouer, pour hâter sa décision, mais sans y croire vraiment:

« Vous signez avec ma plume ou la vôtre?

– Avec la vôtre », dit-il après un instant d'hésitation.

Et alors il signe le contrat… sans le lire!

À nouveau, je tique.

Mon intuition me dit que ce n'est pas normal.

Un homme d'affaires digne de ce nom, à moins qu'il s'agisse d'un contrat qu'il a déjà signé des dizaines de fois avec la même compagnie – et encore! – ne signe jamais un contrat sans le lire ou à tout le moins sans le parcourir ou le faire lire par son conseiller juridique ou financier.

Je me tiens le raisonnement suivant: si un homme signe un contrat si cavalièrement c'est qu'un contrat n'a guère de valeur à ses yeux, et que, par conséquent il est fort possible qu'il ne le respectera pas.

Pendant le lunch, j'insiste gentiment pour qu'il me paie mon cachet à l'avance. Il consent à me signer un chèque daté de la veille de l'événement. Je l'empoche avec soulagement.

Et à la sortie du lunch, je confie le fruit de mes intuitions à mon ami éditeur et lui suggère fortement de ne pas livrer les 10 000 exemplaires AVANT d'être payé.

Surpris, il me demande la raison de ma suspicion à l'endroit du promoteur qui lui a paru fort sympathique, et d'une honnêteté au-dessus de tout soupçon. Il s'étonne même de pareille méfiance chez un être qui, comme moi, est censé être toujours POSITIF. Je lui dis ce que je viens de vous dire. Nous nous séparons.

Le temps passe. La veille de l'événement, encore habité par mon intuition, je me rends à la banque de Sergio pour faire certifier le chèque qu'il m'a signé, avec à l'esprit la vague crainte qu'il n'y aura peut-être pas dans son compte les fonds nécessaires. Mais ils y sont ! Je respire mieux, et me dis que ma méfiance était peut-être excessive, que je n'aurais peut-être pas dû me fier à mon intuition.

Ce même jour, l'éditeur m'appelle pour se vanter gentiment qu'il n'a pas eu de problèmes à se faire payer les 10 000 exemplaires avant livraison et que par conséquent j'ai été un peu paranoïaque. Je fais amende honorable.

Le lendemain de l'événement, pourtant, il m'appelle pour me dire qu'il l'a échappé belle, parce qu'il vient d'apprendre que, la veille, tous les comptes de Sergio ont été saisis parce qu'il devait une fortune au gouvernement en taxes et en impôts impayés ! Rusés, les fonctionnaires du fisc avaient attendu qu'il ait reçu tout l'argent des participants avant de frapper !

Résultat, aucun des chèques reçus par les conférenciers le jour de la prestation ne put être honoré !

Mon intuition n'avait pas prévu que Sergio avait maille à partir avec le fisc, mais... elle m'avait quand même prévenu d'un danger imminent et ruineux !

Et parce que je l'avais écoutée, – et aussi grâce à la chance, je n'en disconviens pas ! – j'étais le seul conférencier à avoir été payé !

Et en plus j'avais probablement évité une lourde perte à mon ami éditeur car à une semaine de là, ce curieux promoteur déposait son bilan !

En écoutant mon intuition, comme tout millionnaire paresseux qui se respecte, j'avais évité une perte de 5 000 $...

Un « travail » de quelques secondes, moins d'une minute en tout cas (enfin si on oublie le temps qu'il m'avait fallu pour aller à la banque faire certifier le chèque douteux), m'avait rapporté 5 000 $!

En fait 15 000 $ car je doute que mon ami éditeur aurait accepté de me verser mes droits d'auteur de 10 000 $ s'il n'avait pas été payé. De toute manière je n'aurais pas eu l'inélégance de les exiger !

Dans son formidable ouvrage *Blink*, Malcom Gladwell écrit: « Nous vivons dans un monde qui assume que la qualité d'une décision est directement reliée au temps et à l'effort qui y sont consacrés. »

Cette fine réflexion, le jeune et brillant rédacteur du *New Yorker* l'a faite après avoir cité les résultats surprenants d'une étude que je me permets à mon tour de citer:

« La psychologue Nalini Ambady donna un jour à des étudiants trois cassettes vidéo de dix secondes d'un professeur – avec le son fermé – et constata qu'ils n'éprouvaient aucune difficulté à mettre une note sur son efficacité. Ensuite Ambady coupa les rubans à cinq secondes, et les évaluations demeurèrent les mêmes. Elles demeurèrent même remarquablement identiques lorsqu'elle montra aux étudiants des vidéos de seulement deux secondes. Ensuite Ambady compara ces évaluations « instantanées » de professeurs avec des évaluations de ces mêmes professeurs faites cette fois-ci par des étudiants qui avaient passé un semestre complet dans les classes de ces professeurs: elles étaient essentiellement les mêmes [...] ! « C'est le pouvoir adaptatif de notre inconscient », conclut Gladwell.

Ou, dit de manière différente, c'est le pouvoir, c'est la sagesse, extraordinairement « économique » de l'intuition.

Qui fait les délices – et la fortune ! – du millionnaire paresseux.

Pourquoi si peu de gens se fient-ils à leur intuition ?

Sans doute parce que nous vivons dans un monde où c'est le côté droit du cerveau qui semble le plus important: donc la rationalité, la logique...

Si ce n'est pas scientifique, empirique, ce n'est pas digne de confiance, ce sont des idées de bonne femme !

Dans son fascinant ouvrage *Psychopathologie de la vie quotidienne*, Freud fait des remarques fort éclairantes au sujet de l'intuition et de la dégradation de son importance avec l'avènement de la pensée scientifique et du « progrès » : « Le Romain, qui renonçait à un important projet parce qu'il venait de constater un vol d'oiseaux défavorable, avait donc relativement raison; il agissait conformément à ses prémisses. Mais lorsqu'il renonçait à son projet parce qu'il avait fait un faux pas sur le seuil de sa porte, il se révélait supérieur à nous autres incrédules, il se révélait meilleur psychologue que nous ne le sommes. C'est que ce faux pas était pour lui la preuve de l'existence d'un doute, doute et opposition dont la force pouvait annihiler celle de son intention au moment de l'exécution du projet. On n'est en effet sûr du succès complet que lorsque toutes les forces de son âme sont tendues vers le but désiré. »

En d'autres mots, quand le millionnaire paresseux lit son horoscope, – si du moins il a le temps et l'envie de le faire ! – et qu'on lui annonce, comme à tous les Béliers ou les Lions du monde, ne l'oublions pas, qu'il doit s'abstenir de prendre toute décision importante ce jour-là parce que la planète Jupiter exerce une influence néfaste, il sait bien que ce serait de la superstition de rester couché à la maison.

Mais s'il se trompe trois fois de route (et pourtant il connaît bien le quartier !) pour se rendre signer avec un nouveau client un contrat important, ou bien il ne trouve pas ses clés, il se dira que ce n'est peut-être pas le fruit du hasard, mais que c'est son intuition, beaucoup plus savante que lui, qui lui envoie un signe pour NE PAS aller signer ce contrat qui a l'air lucratif, mais qui en fait sera peut-être ruineux parce que le client ne le paiera jamais ou le traînera en justice pour une bagatelle.

Vous n'avez pas un bon « feeling » quand vous rencontrez une personne pour la première fois, même si on vous a vanté ses mérites et son talent…

Votre petit doigt vous dit que tel employé, ou tel éventuel patron n'est pas honnête d'autant qu'il paraît incapable de vous regarder dans les yeux lorsqu'il vous parle…

Enfin, je suis sûr que vous savez de quoi je parle et que vous pourriez enrichir cette liste de nombreux exemples…

Le millionnaire paresseux en tout cas est toujours aux aguets de ces signes, de ces intuitions.

On pourrait classer ces intuitions dans deux catégories : les favorables, et les défavorables.

Favorables ?

Vous avez des frissons, la chair de poule, quand vous pensez à un projet, à une idée, vous êtes exalté, vous avez l'impression que c'est l'idée du siècle et que vous ferez fortune.

Bravo ! Votre intuition est probablement juste.

Seulement, donnez-vous la peine de faire quelques vérifications, même rapides, avant de vous lancer et de miser votre dernier dollar dans l'aventure !

Comme on dit, il ne faut pas toujours se fier à sa première impression.

Défavorables ?

Prenez-en bonne note, certes, mais surtout AGISSEZ en conséquence.

Pensez à mon anecdote du début.

C'était une chose de me méfier du promoteur trop bronzé.

Mais j'ai AGI à partir de mon intuition : j'ai demandé un chèque et je me suis donné la peine de le faire certifier.

En outre, j'ai prévenu mon ami de se méfier également, ce qui est la moindre des choses entre amis.

Seulement j'aimerais ajouter une nuance : si votre intuition vous dit TOUJOURS que TOUS les projets sont mauvais, que TOUS les êtres que vous rencontrez sont malhonnêtes et incompétents, méfiez-vous d'elle.

Relisez le chapitre précédent : vous êtes probablement un être foncièrement négatif et votre intuition ne fait que vous renforcer dans votre certitude que tout ira toujours mal.

Commencez sans tarder votre éducation de millionnaire paresseux !

Une fois qu'elle sera accomplie, alors vous pourrez vous fier à votre intuition qui vous aidera à prendre des décisions éclairées et lucratives sans le long et fastidieux travail auquel s'astreignent la plupart des gens !

CHAPITRE 6

Le millionnaire paresseux aime surtout travailler... pour lui-même!

Dans leur livre *The Millionaire Next Door*, les auteurs, traçant le portrait de millionnaires «invisibles» ou disons, peu flamboyants, donnent les chiffres suivants:

66 % des millionnaires sont à leur compte...

De ce nombre:

75 % sont des entrepreneurs et...

25% sont des professionnels comme des avocats, des médecins, des dentistes, etc.

Est-ce à dire que, pour devenir un millionnaire paresseux, il faut presque obligatoirement, pour mettre toutes les chances de son côté, laisser tout tomber et s'établir illico à son compte et surtout devenir un entrepreneur?

L'exemple de mon oncle Maurice Drouin, petit employé de bureau toute sa vie, et pourtant mort millionnaire, répond à cette question.

Ce n'est pas indispensable.

Mais... ça aide!

Et pourtant avant d'aller plus loin, il me faut citer une autre statistique:

4 compagnies sur 5 (encore le principe de Pareto!) feront faillite avant d'atteindre la cinquième année de leur existence!

Et à mon avis, il faut encore ajouter ceci:

C'est vrai que 1 compagnie sur 5 survit à la cinquième année de son existence, mais plusieurs... feront quand même faillite!

La sixième ou la septième ou la dixième année!

Et puis, parmi le 20 % des compagnies qui survivent aux cinq premières années de leur création (de toutes les plus difficiles) il y en a au moins 1 sur 2 qui vivote.

Oui, 1 sur 2 dont le propriétaire ne fait presque pas d'argent, moins en fait que lorsqu'il avait un patron. Et en plus, quelle ironie, il doit souvent travailler autant sinon plus qu'avant sans avoir du reste la « sécurité » qu'il avait avant de se lancer...

Mais pour diverses raisons, par orgueil, par entêtement, parce qu'il ne supporte pas de travailler pour un autre, il préfère rester son propre patron. Et au lieu de travailler 40 heures par semaine comme il le faisait pour son ancien patron, il en travaille 70 pour ses nouveaux patrons que sont ses clients.

« On parle beaucoup de la fortune de César... », dit Montesquieu dans *Considérations sur les causes de la grandeur des Romains et de leur décadence...*

Vous savez sans doute que fortune, à l'époque, voulait dire non pas richesse mais chance, comme dans l'expression : bonne fortune.

« Mais cet homme extraordinaire, continue Montesquieu, avait tant de qualités, sans pas un défaut, quoiqu'il eût bien des vices, qu'il eût été bien difficile que, quelque armée qu'il eût commandée, il n'eût été vainqueur ; et qu'en quelque république qu'il fût né, il ne l'eût gouvernée. »

Il ne faut pas nécessairement être César pour réussir comme entrepreneur.

Mais... ça aide d'avoir comme lui de nombreuses qualités!

Parce que ça prend des qualités pour réussir comme entrepreneur.

Beaucoup de qualités.

Et je trouve que, parfois, certains auteurs de pensée positive, admirables sous d'autres rapports, pèchent un peu par naïveté en clamant que chaque lecteur peut devenir le prochain Bill Gates ou Aristote Onassis, si tant est qu'il soit positif...

Il peut peut-être, remarquez.

Mais pas dans cette vie-ci!

(Voyez à ce sujet, un peu mystérieux, je n'en disconviens pas, mon livre *Les Principes spirituels de la richesse*).

Même si la plupart des qualités sont en germe dans la plupart des êtres, elles ne sont pas assez développées dans chaque être pour en faire un entrepreneur à succès qui doit être, à mon humble avis:

Intrépide.

Audacieux.

Travailleur.

Persévérant.

Positif.

Énergique.

Discipliné.

Astucieux.

Créatif.

Logique.

Intuitif.

«Éduqué», je veux dire: spécialiste dans son domaine

Persuasif.

Bon vendeur.

Bon leader.

Et bien sûr... paresseux!

Ça fait beaucoup de qualités, en somme, que chaque entrepreneur aura en plus ou moins grande quantité, mais aura au moins en partie. Évidemment, avec le temps, on peut s'adjoindre les services de spécialistes pour pallier ses points faibles comme un bon comptable ou un bon administrateur...

Je suis né dans le milieu des affaires et je peux vous dire que tous les grands hommes d'affaires que j'ai rencontrés, même les plus souriants, étaient, intérieurement, des espèces de tueurs à gages, ou en tout cas de véritables bulldozers.

Tous avaient une sorte de fermeté (toughness en anglais) mentale, une force de caractère qui, bien sûr, ne les empêchait pas d'être aimables, bons ou généreux.

Mais ils avaient cette fermeté, presque de la dureté.

Comme l'ont tous les grands joueurs de golf.

Une fermeté, une force qui n'est pas donnée à tous et qui pourtant, à mon avis, est nécessaire au succès de tout entrepreneur.

Pourquoi ?

Simplement parce que le monde des affaires est... dur !

Et que si vous n'êtes pas vous-même dur, vous allez vous faire « égratigner », écorcher vif, vous allez être découpé en morceaux, comme le verre l'est par un diamant.

Le diamant, ça doit être vous !

C'est pour cette raison que, lorsque certaines personnes me consultent et me demandent si, à mon avis, elles devraient quitter leur emploi et se lancer en affaires, je leur réponds parfois de bien y penser, parce que c'est une décision importante, un peu comme le mariage.

C'est ma manière polie de leur dire... DE NE PAS SE LANCER !

Parce que, à mon avis, ça ne marchera pas.

Pourquoi je dis ça ?

La réponse brève serait : parce que je sais.

Ils n'ont pas le timbre de voix, cet éclat dans le regard, cette détermination visible, cette énergie mentale palpable, en un mot la « personnalité » que j'ai vue chez presque tous ceux qui ont réussi. J'ajouterais cependant qu'il y a certains grands hommes d'affaires qui sont « low profile », que vous ne remarqueriez pas dans une foule tant ils sont discrets et effacés.

Dit comme ça, ça peut paraître un peu déprimant, un peu décourageant...

Faut-il vraiment tant de qualités ?

Pour les grands entrepreneurs, oui...

Pour les autres, un peu moins, heureusement...

Et en plus, j'ai une autre « bonne nouvelle » pour vous, une bonne nouvelle que je ne suis pas le premier à donner, et qui en fait vient de loin, de très loin : de l'Antiquité.

Elle n'a pas été annoncée par n'importe qui, mais par le philosophe par excellence, Socrate, qui a dit :

«L'homme est perfectible.»

Ça veut dire que ces qualités que je viens d'énumérer, vous POUVEZ les développer.

Vous allez du reste «devoir» les développer si vous voulez survivre et surtout réussir en affaires.

Il existe d'ailleurs un catalyseur étonnant, un accélérateur formidable pour développer ces qualités: c'est simplement de... se lancer en affaires!

Comme disait le philosophe Kant: «C'est en marchant qu'on apprend à marcher.»

Quand on décide de se lancer, il se produit un phénomène bien simple que j'ai appelé le «syndrome du jeudi».

En effet quand vous travaillez pour quelqu'un, même pour quelqu'un qui vous tape royalement sur les nerfs, et pour qui vous faites un travail qui vous déplaît, vous recevez tous les jeudis une petite enveloppe de lui, qui ne contient pas une lettre d'amour, certes, mais que vous aimez quand même recevoir: elle contient votre chèque de paie!

Mais lorsque vous laissez tout tomber et que vous vous lancez, le premier jeudi, vous ne recevez rien, en tout cas pas un chèque de votre ancien patron, et ça fait un peu drôle.

Ce petit sentiment pas vraiment agréable, c'est le syndrome du jeudi!

Si au lieu de trouver que ça fait un peu drôle, vous trouvez que... ce n'est pas drôle du tout, si en un mot vous vous sentez terriblement angoissé, si vous commencez à développer un ulcère, vous avez un problème: vous n'êtes probablement pas destiné aux affaires! Ne vous leurrez pas, et surtout ne vous acharnez pas au détriment de votre santé!

Dites-vous que vous avez au moins appris quelque chose sur vous-même et que vous vous êtes sans doute débarrassé pour de bon d'un fantasme qui vous hantait peut-être depuis des années: celui de devenir votre propre patron.

Ce qui compte, dans la vie, c'est d'être heureux.

Ce n'est pas d'être à son compte, surtout quand ça nous rend misérable.

Mais si, par contre, le syndrome du jeudi vous donne un bon stress (car il y en a, comme vous savez sans doute, un bon et un mauvais comme il y a un bon et un mauvais cholestérol) alors bravo !

Parce que ce bon stress va être votre catalyseur, votre accélérateur, il va vous transformer rapidement.

En quelques années, en quelques mois, même, il va faire de vous un... loup !

Il va vous donner des antennes, des ailes, affiner votre flair, vos réflexes de futur millionnaire (paresseux ou pas !) et en un an vous en apprendrez probablement plus sur le monde des affaires qu'en ayant passé 10 ans sur les bancs de l'école.

Parce que ce sera VOTRE argent qui est en jeu.

Que vous l'ayez emprunté ou non !

Votre argent et votre vie.

Et vous allez voir que ça change tout.

Parce que votre argent, vous ne voulez pas le perdre, vous voulez qu'il fructifie.

Maintenant, vous êtes dans la mêlée, dans le ring, il faut vous battre... ou vous amuser, si vous avez la mentalité d'un millionnaire paresseux !

Quand vous faites un bon coup, c'est vous qui récoltez.

Quand vous faites un mauvais coup, c'est vous qui payez, c'est sûr, mais au moins vous n'avez pas un patron qui vous engueule ou qui vous congédie.

Et puis – et c'est un des avantages les plus considérables d'être à son compte – si vous faites pendant plusieurs années de bons coups et que votre compagnie prend de la valeur... vous pourrez un jour la vendre et récolter le gros lot !

Alors que si vous êtes un employé, c'est votre patron que vos bons coups enrichiront quand il vendra.

Cela étant dit, devez-vous oui on non vous lancer en affaires ?

Si vous hésitez beaucoup, la réponse se trouve probablement... dans la question !

C'est non !

Si vous hésitez autant, c'est parce que, intérieurement, vous sentez que vous n'êtes pas prêt ou que vous ne réussirez pas.

Alors attendez.

Parce que c'est un peu comme si vous vous demandiez constamment, avec angoisse, avec hésitation, si vous aimez vraiment telle personne et si vous devriez l'épouser.

Quand on aime, je veux dire, vraiment, il me semble qu'on ne se pose pas la question : on le sait.

Moi, quand j'ai quitté mon dernier emploi, à 31 ans, je me sentais confiant, certain de réussir.

Je dois pourtant à la vérité de dire que j'ai hésité pendant un an.

Mais quand le fruit est mûr, il tombe.

Un jour, il m'est tombé sur la tête comme la pomme sur celle de Newton.

Alors j'ai remis ma démission la semaine suivante.

Je ne l'ai jamais regretté, même si ça n'a pas toujours été facile.

La plupart des gens d'affaires que je connais pourraient faire le même témoignage.

Ils n'ont pas hésité bien longtemps.

Ils « savaient » qu'ils réussiraient, que c'était leur destin.

Mais vous ?

Voyez, dans le prochain chapitre, des astuces et des avantages qui vous donneront peut-être l'envie de vous lancer…

Chapitre 7

Vivez comme un roi avec un salaire de mendiant!

Vous avez encore des hésitations à vous lancer?

Je vous comprends.

Ce que je vous ai dit au début du chapitre précédent a de quoi décourager même les plus hardis.

Mais laissez-moi la chance de me rattraper!

Lisez ce qui suit avant de donner votre «réponse finale» comme dans l'émission *Who Wants to Be a Millionaire*...

1. LANCEZ-VOUS... PAR ÉTAPES!

La première astuce, qui tombe sous le sens mais que, pourtant, on oublie souvent, c'est que pour se lancer en affaires on n'a pas besoin de... tout laisser tomber! C'est même fort sage, au début, de garder votre emploi actuel et de démarrer votre «business» à temps partiel, le soir, les week-ends.

Je sais, ça semble aller à l'encontre de la philosophie du millionnaire paresseux, qui cherche à travailler moins. Il cherche à travailler moins, oui, mais il sait aussi qu'au début de sa carrière, il doit souvent prendre les bouchées doubles. Mais il a une idée derrière la tête: se la couler douce dans 5 ou 10 ans!

Mon voisin Gilles a fait exactement ça.

Longtemps il a gardé son modeste poste d'infirmier même s'il avait un garage. Il y a quelques années, inspiré peut-être par mon exemple d'investisseur immobilier, il a acheté, pour 750 000 $, le petit centre commercial où il louait les locaux de son commerce. Cette propriété immobilière vaut aujourd'hui 1,25 millions ! Il vient juste de prendre une retraite anticipée comme infirmier, ce qui lui vaut une jolie pension. Huit mécaniciens travaillent pour lui et son garage vaut plusieurs millions !

Il a à peine 50 ans !

Son problème est qu'il se demande s'il vendra son garage aujourd'hui ou s'il laissera plutôt son fils le gérer tout en lui versant un salaire juteux, dont il jouira en sillonnant l'Amérique au volant du motorisé de 175 000 $ qu'il vient de s'acheter !

Je trouve que… c'est un beau problème !

Pour se lancer… par étapes, rien ne convient mieux, il me semble, que les « business » que vous pouvez démarrer à partir de votre maison, surtout grâce à Internet qui vous permet littéralement de rejoindre des clients partout dans le monde à partir de votre propre cuisine !

Vous pouvez aussi, bien sûr, faire des investissements immobiliers, qui demandent peu de temps de gestion, seulement quelques heures par semaine et que donc on peut faire en gardant son emploi traditionnel. D'ailleurs le salaire que cet emploi vous procure est d'une grande aide dans vos débuts d'investisseur immobilier.

Pourquoi ?

Parce que les banques sont en général plus nerveuses de prêter à quelqu'un qui vaut 1 million… mais qui n'a pas de salaire fixe qu'à quelqu'un qui n'a pas 3 000 $ en banque mais… qui a un salaire fixe de 25 000 $ par année ! Je le sais, je suis passé par là !

2. QUAND PARTIR POUR DE BON ?

Pendant des années, j'ai travaillé 2 jours semaine dans une maison d'édition pour avoir le temps de faire mon apprentissage de romancier et de me faire connaître. En même temps, ça me permettait d'apprendre les ficelles du métier d'éditeur : ce qui est toujours utile quand on veut vivre de sa plume ! Quand mes romans ont commencé à se vendre, j'ai fait le grand saut.

Vous pouvez vous fixer comme règle que si, pendant les 2 dernières années, votre « nouveau » business, votre « sideline », votre emploi secondaire en quelque sorte, vous a rapporté autant que votre « vrai » travail, vous pouvez alors partir. Attendez 3 ans si vous êtes du type nerveux, et seulement 1 an si vous êtes du type impatient... Moi j'avais 3 000 $ en banque quand je me suis lancé, mais les 3 premiers mois, récompensé de mon audace, j'ai gagné 20 000 $, (c'est peu, je sais, mais c'était il y a 20 ans!) ce que mon travail à temps partiel me donnait en une année! Je venais d'« acheter » 9 mois de liberté pour écrire!

3. FAITES POUR VOUS CE QUE VOUS FAISIEZ POUR VOTRE PATRON

Une autre astuce pour limiter votre risque, pour multiplier vos chances de succès, c'est simplement de faire pour vous ce que vous faisiez pour votre patron.

D'ailleurs c'est une des choses les plus logiques, les plus « naturelles ».

Et aussi les plus « économiques ».

Pourquoi?

Pour la raison suivante: c'est votre patron qui vous a payé pour travailler pour lui, certes, mais SURTOUT, c'est lui qui a payé pour votre éducation!

Le premier – et seul! – patron de Warren Buffet a fait exactement cela pour lui.

Vous vous souvenez?

Il lui a versé un salaire ET il lui a fait un cadeau encore bien plus grand, bien plus précieux, inestimable en fait: il lui a appris les ficelles du métier d'investisseur.

Qui lui ont permis, une fois établi à son compte, de devenir millionnaire à 30 ans, et, quelques décennies plus tard, de devenir le deuxième homme le plus riche en Amérique!

Plus près de moi, chez Quebecor j'ai vu de nombreux exemples de ce « spin-off », comme l'appellent les Américains, de ces retombées économiques.

Pierre Francœur, qui travaillait au Journal de Montréal, a fondé son propre hebdomadaire de quartier qu'il a revendu 5 ans plus tard pour la coquette somme de 5 millions.

Il n'avait pas 45 ans.

Le regretté Claude Durocher, un autre ancien de Quebecor, a fondé son groupe de magazines, qu'il a un peu ironiquement revendu à son ancien patron pour 8 millions...

Il n'avait même pas 50 ans !

Un de mes amis, comptable de profession, a d'abord été directeur financier d'une fédération de médecins.

Suite à des changements structuraux, son patron de l'époque lui a permis de partir avec une clientèle de plus de 200 médecins. Il s'est établi à son compte et a tout de suite fait de l'argent.

Il gagne plus de 300 000 $ par année...

4. DONNEZ-VOUS LA VRAIE SÉCURITÉ D'EMPLOI

Être à son compte a encore d'autres avantages, à mon avis.

Vous développez des réflexes extraordinaires qui vous protègent contre les changements que connaît notre monde en constante transformation, à telle enseigne que le métier que fera un jour votre nouveau-né n'existe peut-être pas encore, et que le vôtre n'existera plus quand votre enfant entrera sur le marché du travail.

Celui qui a travaillé 20 ans pour la même compagnie et qui se fait soudain remercier (quel verbe quand même que le verbe remercier, en pareille occurrence !) se retrouve souvent en état de panique et se demande comment il va faire pour gagner son prochain dollar.

Celui qui est à son compte se l'est demandé à tous les jours, à toutes les semaines, pendant des années.

Ça lui donne à mon avis une longueur d'avance.

Ça devient sa « sécurité » d'emploi à lui.

Une sécurité d'emploi qui est peut-être plus solide que celle dont on parle en général et qui, avec tous les bouleversements du marché du travail, a de moins en moins de sens.

Et puis, même s'il a réussi, celui qui est à son compte reste aux aguets, veille au grain, comme on dit, et surtout, est toujours – c'est devenu sa seconde nature ! – à l'affût de nouvelles occasions de s'enrichir, d'améliorer son système, sa machine à argent.

5. VIVEZ COMME UN ROI AVEC UN SALAIRE DE MENDIANT !

Être à son compte comporte des avantages fiscaux importants et souvent surprenants.

a. Vous pouvez avoir un compte de dépenses pour des lunchs, l'essence, des billets pour le hockey, par exemple, et quand vos clients sont vos amis, c'est encore plus formidable…
b. Vous pouvez voyager aux frais de la compagnie, pour des déplacements d'affaires bien sûr, mais vous avez quand même le droit de jeter un « rapide » coup d'œil à la tour Eiffel lorsque vous êtes allé brasser des affaires ou faire de la prospection à Paris ! Vous me suivez ?
c. Vous pouvez faire payer votre entreprise pour votre cellulaire, pour votre ligne téléphonique, votre Internet. Si vous travaillez à la maison, votre compagnie peut payer pour une partie de votre loyer ou de votre hypothèque, de vos assurances, de votre chauffage, de votre électricité.

Vous pouvez avoir une voiture de compagnie, un véhicule de fonction. Je sais, sous plusieurs régimes c'est un avantage imposable. Mais si vous avez déjà une voiture personnelle, une voiture qui peut être vieille et usée, et qui ne vaut presque plus rien, et qui est payée depuis longtemps, votre deuxième voiture, qui est votre voiture d'entreprise, n'est plus un avantage imposable.

Vous me suivez ?

Pourquoi est-ce intéressant, même très intéressant ?

Parce que si vous n'avez pas de compagnie, vos voyages, tous vos repas, votre compte de cellulaire et Internet, votre voiture, TOUT, vous payez TOUT avec des DOLLARS IMPOSÉS.

Supposons que votre voiture, vous la louiez (mais c'est la même chose si vous l'achetez) et que ça vous coûte 500 $ par mois : il vous faut grosso modo en gagner 1 000 $ avant impôts, pour faire votre paiement mensuel, et donc 12 000 $ de votre salaire brut vous sont nécessaires pour payer votre automobile.

Cependant, si c'est votre entreprise qui paie pour cette voiture, ces 500 $ sont une dépense, une dépense de 6 000 $ par année car ce ne sont pas des dollars imposés.

Votre compagnie paie aussi pour l'assurance de votre voiture.

1 000 $ par année, disons…

Pour la payer vous auriez besoin d'en gagner 2 000 $…

Et je ne parle pas des réparations…

En fait toutes ces astuces, parfaitement légales, font une différence ÉNORME dans votre train de vie.

Vous pouvez vivre sur un pied plus élevé tout en vous versant un salaire bien moindre.

En somme vous vivez littéralement comme un roi avec un salaire de mendiant !

Et en vous versant un salaire moindre, vous réalisez une autre économie, considérable, celle-là…

6. CESSEZ DE « TRAVAILLER » POUR LE GOUVERNEMENT 5 MOIS PAR ANNÉE !

Un jour, à mes débuts, un ami, grand millionnaire paresseux devant l'Éternel, m'a dit : « Quand on commence à faire vraiment de l'argent, on passe presque autant de temps à chercher comment payer moins d'impôts qu'à faire de l'argent ! »

Il parlait bien entendu de moyens parfaitement légaux.

Tous les gouvernements passent le plus clair de leur temps à chercher de nouveaux moyens (déguisés ou pas) de nous taxer. Et quand on a l'impression (naïve !) qu'ils nous ont fait un cadeau (en général en campagne électorale !) ils s'empressent de nous enlever d'une main ce qu'ils nous ont donné de l'autre.

Dès lors, n'est-ce pas parfaitement légitime que, de notre côté, nous cherchions des moyens légitimes de nous défendre contre ces constantes « attaques fiscales » et de payer un peu moins d'impôts ?

Des exemples d'autres moyens de défense ?

Votre compagnie peut vous verser des dividendes au lieu de vous verser un salaire: le taux d'imposition est moindre.

Votre compagnie peut pratiquer une forme d'étalement fiscal totalement légale en ne vous versant pas nécessairement un gros salaire parce qu'elle a fait, cette année-là, de gros profits. Son taux d'imposition à elle est en général inférieur, et elle peut vous octroyer plus tard en salaire ou en dividendes les BNR (bénéfices non répartis) qu'elle aura engrangés et fait profiter. Oui, plus tard, au moment choisi par VOUS, par exemple à un moment où vous aurez peut-être moins de revenus provenant d'autres sources ou que vous aurez fait des pertes que vous pouvez appliquer sur vos revenus de cette année...

Vous pouvez aussi, sous certaines conditions, fractionner vos revenus en versant un salaire à votre conjoint, à vos enfants, ce qui est une autre forme légitime d'allégement fiscal pour vous, surtout si votre conjoint a un taux d'imposition moindre que le vôtre.

Certains recourent aux fiducies, aux holdings, aux fondations...

Enfin, comme je ne suis pas fiscaliste, je ne veux pas m'attarder davantage sur ces questions qui, du reste, varient d'un régime fiscal à l'autre.

Je veux seulement que vous reteniez le principe général.

Un millionnaire paresseux (comme tout millionnaire!) tente constamment de bénéficier de tous les avantages fiscaux qu'offre le gouvernement à celui qui est à son compte.

Parce que si on y pense à peine quelques secondes, ça tombe sous le sens:

L'ARGENT QU'ON ÉPARGNE EN IMPÔTS
EST L'ARGENT LE PLUS FACILEMENT GAGNÉ

Le plus agréablement gagné aussi, parce que c'est l'argent qu'il nous coûte le plus de donner au gouvernement, année après année.

Je sais qu'on devrait au fond se réjouir de payer 1 ou 2 ou 5 millions d'impôts, parce que ça veut dire qu'on a gagné au moins 2 ou 4 ou 10 millions dans son année. Et pourtant, je n'ai encore jamais vu quelqu'un sabrer le champagne après avoir envoyé son chèque d'impôts au gouvernement!

Oui, l'argent qu'on épargne en impôts nous paraît bien précieux, c'est comme si on le retirait subtilement de nos poches juste avant que le gouvernement n'y mette la main !

Oui, voilà pourquoi, je crois, cet argent plaît tant au millionnaire paresseux.

Car qui aime se faire détrousser ?

Cette attention « fiscale » n'est pour le millionnaire paresseux qu'une autre manière de surveiller ses dépenses, et pas la moindre : car l'impôt EST une dépense, même si on oublie souvent de le voir comme ça, et en fait c'est une des plus terribles dépenses, surtout pour ceux qui ne sont pas armés pour la combattre.

Car en effet, si vous y pensez, – et n'y pensez pas trop longtemps parce que ça va vous déprimer singulièrement ! – vous travaillez de janvier à avril ou mai juste pour le gouvernement, je veux dire juste pour payer vos impôts.

Par ailleurs n'oubliez pas que vous n'avez pas besoin d'être exclusivement à votre compte, pour avoir une compagnie.

Vous pouvez être salarié ET avoir une compagnie.

Et pouvoir dès lors en tirer des avantages fiscaux.

Pensez-y...

Tous les millionnaires paresseux y pensent.

C'est pour cela qu'ils peuvent souvent mener la vie qu'ils mènent, une vie plus agréable, plus facile que la vôtre même s'ils ont parfois des revenus inférieurs aux vôtres !

Presque tous ceux qui réussissent en affaires, et en tout cas tous les millionnaires paresseux utilisent un secret fort simple, un extraordinaire levier qui fait littéralement exploser leurs revenus, qui leur permet de faire 2, 5, 10, 100 fois plus d'argent sans pourtant travailler plus dur...

Vous aimeriez que je vous en parle ?

Tournez simplement la page !

CHAPITRE 8

Le millionnaire paresseux laisse son objectif faire le travail à sa place

Un jour, le légendaire champion de golf Ben Hogan, jouait une ronde au Los Angeles Country Club.

Le trou numéro 5 (du North Course) est une normale 5 de 476 verges dont le vert n'est pas visible du tertre de départ en raison de l'ondulation de l'allée.

À l'arrière du vert, s'élève une rangée de quatre grands palmiers.

Lorsque Ben Hogan se présenta sur le tertre de départ, il demanda spontanément à son cadet de lui fournir une cible, puisque le vert était invisible et que Hogan ne connaissait pas le terrain, vu qu'il y jouait pour la première fois.

Son cadet lui suggéra de viser vers les palmiers.

« Lequel ? » répliqua Ben Hogan à l'étonnement de son cadet.

Et sans doute du vôtre, même si vous êtes golfeur…

Cette anecdote, je l'ai trouvée dans le merveilleux livre du psychologue sportif Bob Rotella, *Jouer au golf sans viser la perfection* (*Golf is not a game of perfect)*, qui est ou a été, au cours de sa prestigieuse carrière, le conseiller personnel de golfeurs aussi talentueux que Tom Kite, Nick Price, Curtis Strange, Brad Faxon et Davis Love…

Voici comment il explique la question en apparence curieuse de Ben Hogan : « Cette histoire est parfois citée comme un exemple du perfectionnisme de Hogan. Mais ce qu'elle suggère vraiment c'est la connaissance de Hogan d'un des principes fondamentaux de la psychologie du golf :

« AVANT DE JOUER CHAQUE COUP, UN GOLFEUR DOIT CHOISIR LA PLUS PETITE CIBLE POSSIBLE. »

Et Rotella poursuit ainsi :

« Le secret peut paraître évident à certains. Mais je suis continuellement étonné par le nombre de golfeurs qui ne l'utilisent pas. Lorsque je donne un stage de perfectionnement technique de golf ou que je participe à un tournoi Pro-Am, et que je vois un joueur qui vient d'envoyer sa balle dans le « pays » voisin, je lui demande parfois ce qu'il visait avant de frapper son coup erratique.

En général, la réponse ressemble à ceci :

« Je visais du côté gauche ». Ou : « Au milieu ». Certains joueurs disent aussi : « Je ne sais pas au juste ce que je visais. Je sais seulement que je ne voulais pas rater mon coup à gauche. »

Ce n'est pas assez bon. Viser le milieu de l'allée, c'est l'équivalent de tenter de se rendre à Los Angeles en volant vers un aéroport… quelque part en Californie ! »

Et il ajoute :

« Le cerveau et le système nerveux répondent de manière optimale lorsque les yeux sont fixés sur la plus petite cible possible. Pourquoi c'est ainsi n'est pas vraiment important. C'est simplement la manière dont l'être humain fonctionne. »

En lisant ces lignes, je n'ai pu m'empêcher d'être frappé par l'analogie entre la manière de faire (ou de penser !) de ces golfeurs et celle de certaines personnes avec qui je discute dans mes conférences ou au cours de consultations privées.

En effet, je ne peux plus compter le nombre de personnes à qui j'ai demandé quel était leur objectif financier pour l'année, pour me voir répondre soit :

1. qu'ils n'en avaient pas ;
2. que leur objectif était de se débarrasser de leurs dettes ;
3. que leur objectif était de trouver un travail plus lucratif ;
4. qu'ils voulaient faire fortune.

Les trois derniers objectifs sont louables, sans doute, mais en général inefficaces, parce qu'ils sont trop… VAGUES !

Avec l'argent, l'équivalent d'une cible la plus petite possible, ce n'est pas, bien entendu, un objectif monétaire minuscule, ce qui serait passablement déprimant, mais bien :

UN OBJECTIF LE PLUS PRÉCIS POSSIBLE.

Et qu'est-ce qu'un objectif le plus précis possible ?

C'est un objectif avec UN CHIFFRE ET UN DÉLAI POUR L'ATTEINDRE.

J'ai raconté dans *Les Principes spirituels de la richesse*, – et des dizaines de fois en conférence – une anecdote qui prouve à quel point l'objectif peut être puissant.

Lors d'une conférence, une jeune femme est venue me trouver, à la pause, et m'a dit, toute excitée : « Monsieur Fisher, il faut que je vous dise. La semaine dernière, je devais me présenter à une entrevue d'embauche, et je me disais : *25 000 $, 25 000 $, je n'accepterai rien en bas de 25 000 $ par année.* Mais la veille de mon entrevue, je suis tombée par hasard sur votre livre *Le Millionnaire*, et j'ai commencé à me répéter : 40 000 $! 40 000 $! Je n'accepterai rien en bas de 40 000 $! Et vous savez quoi ? Je les ai obtenus ! »

Je l'ai félicitée chaudement, et je lui ai dit : « Pas si mal pour un investissement de deux heures ! »

Pas si mal en effet...

15 000 $ de plus...

Ça fait combien de l'heure ?

Ça fait 7 500 $ de l'heure !

Et ces 15 000 $ de plus, elle les aura année APRÈS année...

Non seulement elle les aura année APRÈS année, mais ses éventuelles augmentations de salaire seront basées sur ces 40 000 $ de départ et non pas sur les 25 000 $ auxquels elle aspirait initialement...

Et si elle change d'emploi, elle pourra dire qu'elle recevait un salaire de 40 000 $ pour son emploi précédent, ce qui tout de suite la placera dans une catégorie plus intéressante que si elle avait accepté un travail à 25 000 $...

Si elle avait suivi la philosophie d'un travailleur intelligent au lieu de celle d'un travailleur paresseux, il lui aurait fallu combien d'années, à raison d'une hypothétique augmentation annuelle de 5 %, pour passer de 25 000 à 40 000 $?

Je vous laisse le soin de le calculer pour moi : juste d'y penser me fatigue !

En fait, sans le savoir, à la suite de la lecture du *Millionnaire*, cette jeune femme avait commencé à penser en millionnaire paresseuse…

Elle avait tout simplement (mais pourquoi cela doit-il être compliqué pour être efficace ?) laissé son objectif faire le travail à sa place !

Combien de gens, hélas, font exactement le contraire !

Au lieu de laisser l'objectif faire le travail à leur place, ils… TRAVAILLENT !

Comme des forcenés.

Oui, ils travaillent, travaillent, travaillent, pour… trois fois rien !

Parce que comme ces golfeurs dont la balle va n'importe où, – et en général pas où ils voulaient qu'elle aille ! – ils n'ont pas d'objectif précis ou pas assez élevé.

Ils semblent faire du surplace malgré leur persévérance et leur intelligence et les heures supplémentaires qu'ils accumulent, au point de se rendre malades ou si nerveux et irritables que plus personne n'ose s'approcher d'eux, même… leurs proches !

Leurs revenus stagnent, ou augmentent au compte-gouttes, moins vite en fait que le coût de la vie, si bien qu'ils s'appauvrissent de jour en jour, les pauvres !

Et quand ils s'en rendent compte, bien sûr, ça les rend encore plus cassants, encore plus irritables si bien qu'ils éloignent encore plus d'eux leurs proches !

Tandis que ceux qui, comme le millionnaire paresseux, utilisent le levier de l'objectif et voient de véritables miracles s'opérer dans leur vie…

Ils gagnaient depuis des années 30 000 $ et qui tout à coup se sont mis à en gagner 45 000 $, et en plus pour un travail qu'ils aimaient enfin alors qu'ils détestaient le précédent, dans lequel ils vivotaient depuis trop longtemps…

Des gens qui gagnaient déjà un salaire respectable de 75 000 $, mais qui voulaient plus, et qui, malgré leur ambition et leur travail acharné, étaient incapables de progresser, se sont mis en quelques mois à peine, APRÈS avoir utilisé cet outil magique, à gagner 150 000 $...

Des gens qui ont aussi fait en quelques mois, en quelques semaines même des sauts encore plus extraordinaires, réalisant des gains de 500 000 $, de plusieurs millions même !

Tout devient plus facile, plus rapide...

Armé de votre objectif, vous vous mettez à penser à des solutions originales, imaginatives, économiques et bien entendu... lucratives !

Vous vous attirez « mystérieusement » l'aide dont vous avez besoin au moment même où vous en avez besoin, que ce soit par une rencontre, un appel téléphonique, ou un passage dans un livre que vous ouvrez au hasard !

L'exemple le plus spectaculaire auquel j'ai personnellement assisté, j'en ai déjà parlé dans mon livre *Les Principes spirituels de la richesse*, mais je me permets de le reprendre parce que tant de lecteurs m'en ont parlé, tant de lecteurs m'ont posé des questions à ce sujet, que je me crois autorisé, et pour mieux dire obligé de fournir ici des explications supplémentaires.

C'est le cas du regretté Pierre Péladeau, et surtout de la croissance spectaculaire de la compagnie qu'il a fondée, Quebecor, où j'ai travaillé pendant six ans.

Pierre Péladeau était un véritable bourreau de travail qui parfois restait si tard le soir à son bureau qu'il s'y s'endormait. Il se contentait rarement de travailler 5 jours par semaine, réunissait souvent ses vendeurs le samedi matin, n'hésitait pas à appeler ses vice-présidents ou ses conseillers le dimanche, écourtait presque toujours ses (rares !) vacances sous prétexte qu'il s'ennuyait – ce qui était probablement vrai – et que trop de travail important l'attendait au bureau...

Il n'était donc pas, de toute évidence, un millionnaire paresseux et pourtant il utilisa la puissance étonnante de l'objectif pour faire faire à son entreprise le saut quantique qu'elle fit en quelques années.

Jugez-en par vous-même.

En 1982, le chiffre d'affaires de Quebecor était de 208 millions.

En 1983, il passait à 221 millions, un saut modeste de 13 millions.

En 1984, il atteignait 279 millions, une augmentation plutôt juteuse de plus de 25 % !

En 1985, il passait à 342 millions, une autre solide augmentation de 22 %…

En 1986, le chiffre d'affaires affichait encore une croissance solide et atteignait 446 millions, oui, presque le demi-milliard !

Et c'est là que la véritable explosion se produisit, faisant ressembler la courbe de croissance de la société à une progression géométrique, qui consiste, comme chacun sait, à doubler constamment, dans une série, le chiffre précédent…

En 1987, en effet, le chiffre d'affaires de Quebecor passait à 650 millions…

Enfin, en 1988, il doublait pour ainsi dire, et fracassait allègrement la marque du milliard en s'élevant à 1 milliard 284 millions !

Comment Pierre Péladeau s'y était-il pris ?

Un avant-midi d'automne de 1982, dans ses modestes bureaux de la rue Roy, à Montréal, qu'il occupait à l'époque, le coloré entrepreneur avait réuni ses vice-présidents et les avait étonnés, pour ne pas dire assommés, en leur annonçant qu'il projetait d'atteindre le chiffre d'affaires d'un milliard en dix ans…

Un milliard en aussi peu que 10 ans, alors que le chiffre d'affaires n'était à l'époque que de… 208 millions !

La chose paraissait inaccessible !

L'excentrique fondateur de Quebecor voulait en somme multiplier son chiffre d'affaires par 5 en seulement 10 ans…

Et comment le bouillant homme d'affaires comptait-il atteindre cet objectif ?

Simplement, en faisant… une acquisition par mois !

Oui, une acquisition, un rachat de compagnie existante par mois !

Ambitieux, ça aussi, presque démentiel, en fait, à telle enseigne que plusieurs vice-présidents quittèrent la réunion le visage blême, les sourcils arqués par le scepticisme le plus profond.

Et pourtant, il ne fallut pas 10 ans à Pierre Péladeau pour atteindre le milliard, qu'il avoua, en entrevue, être un « beau » chiffre à ses yeux.

Non, il ne lui fallut pas 10 ans mais... 6 ans!

Rien n'est parfait!

Je plaisante bien sûr, et il faut à la vérité de dire que de même que ce n'est pas parce qu'on tente de caler chaque fois un coup d'approche qu'on le cale à tout coup, ce n'est pas parce qu'on prend un objectif précis, avec un montant et un délai pour l'atteindre, qu'on l'atteint à tout coup.

Mais... – et c'est ce qui compte – ON OBTIENT PRESQUE SANS EXCEPTION DES RÉSULTATS MEILLEURS que si on ne s'était pas fixé d'objectif.

Car en fait travailla-t-il plus dur à partir du moment où il se fixa cet objectif ambitieux?

Travailla-t-il 24 % de plus en 1984, et 50 % de plus en 1988, ce qui correspond aux augmentations respectives du chiffre d'affaires annuel?

Mais non!

Ç'aurait été humainement impossible car n'étant pas un millionnaire paresseux, il travaillait déjà autant qu'on pouvait humainement travailler, parfois même au détriment de sa santé et de ses nerfs...

Peut-être, il est vrai, ses vice-présidents furent-ils forcés de travailler un peu plus fort, mais pas beaucoup plus, parce que c'était depuis le début dans la culture de l'entreprise que tout le monde devait travailler avec ardeur – et faire des profits! – s'il voulait conserver son poste!

Pierre Péladeau dut-il payer de sa poche les achats auxquels il procéda dans les 6 années qui suivirent l'établissement de son nouvel objectif?

Non.

Les profits de la compagnie et les banques y pourvurent largement.

Réduisit-il son salaire?

Non, à la vérité, il put l'augmenter.

Eut-il plus de soucis?

Non, car il avait mis en marche des forces plus grandes que lui.

En ce sens il était un millionnaire paresseux, car il faisait travailler l'objectif – et un peu ses vice-présidents! – à sa place…

Mais comme il était plus ambitieux et travaillait des heures extrêmement longues, il devint beaucoup plus riche qu'un millionnaire paresseux, consacrant en fait toute sa vie à l'édification de son empire.

« Qui peut le plus peut le moins », dit le dicton.

Alors si le levier magique de l'objectif peut faire atteindre le milliard, il peut sûrement vous être utile pour atteindre votre premier million, ou mieux encore les 3 ou 4 millions dont vous avez besoin pour commencer à mener la vie de millionnaire paresseux…

Le millionnaire paresseux sait que la taille d'un poisson est déterminée par… la grandeur de son aquarium!

Pour un millionnaire paresseux, l'équation de la fortune et du succès est donc:

AQUARIUM = OBJECTIF

Et donc:

LA TAILLE DE SON SUCCÈS EST DIRECTEMENT
PROPORTIONNELLE À LA TAILLE DE SON OBJECTIF

Et donc:

SI VOUS VOULEZ UN GRAND SUCCÈS,
PRENEZ-VOUS UN GRAND OBJECTIF

Bien sûr, si vous acceptez que vos petits poissons (lisez: revenus!) restent petits, eh bien, laissez-les passer toute leur vie dans le même petit aquarium!

Comme le font parfois les patrons avec leurs employés.

Comme le font parfois les maris avec leur femme – ou les femmes avec leur mari.

Comme le font parfois les parents avec leurs enfants.

Surtout les pères, qui ne peuvent pas supporter que leurs fils gagnent plus d'argent qu'eux…

Et parfois aussi, il faut le dire, ce sont les fils eux-mêmes qui, consciemment ou pas, décident de rester dans le même aquarium que leur père, par crainte de le renier, par crainte de l'humilier par leur trop grand succès, parce que c'est « l'ordre » que, sans s'en rendre compte, ils ont reçu quand ils étaient enfants, et comme ils étaient de bons enfants, ils étaient « obéissants », avec le résultat que l'on sait.

Et VOUS, ne vous êtes-vous pas, jusqu'à présent, contenté de nager dans un aquarium beaucoup trop petit, beaucoup trop petit pour vous ?

CHAPITRE 9

Le travail que le millionnaire paresseux aime le plus c'est… le travail sur lui-même !

Vous êtes vendeur, vous travaillez à commission, et vous voulez voir passer votre salaire de 50 000 $ à 125 000 $ grâce au levier magique de l'objectif.

Les 3 premiers mois, tout va comme sur des roulettes, mieux que prévu, en vérité, car vous dépassez de 30 % vos objectifs…

Vous vous dites que c'est 175 000 $ de commission et non pas 125 000 $ que vous allez obtenir et vous avez déjà choisi votre prochaine voiture… !

Heureusement, vous ne l'avez pas achetée, parce que, le 1er avril – est-ce une plaisanterie du destin ? – le nouveau client qui était sur le point de signer un contrat mirobolant se désiste au dernier moment. En plus un de vos plus gros clients a annulé son contrat vieux de cinq ans alors, vous êtes obligé de vous démener comme un diable dans l'eau bénite pour finir l'année avec les mêmes commissions que l'année précédente : soit 50 000 $…

Ou encore, vous vouliez changer d'emploi depuis trois ans.

Et tout à coup une occasion se présente : le job de vos rêves ! Mais la veille de votre entrevue, vous faites une grosse indigestion, vous qui n'en faites jamais : c'est bien votre chance !

Affaibli, pâle, l'estomac encore à l'envers, vous vous rendez quand même à ce rendez-vous qui peut changer votre vie – et votre compte en banque, mais vous vous perdez « stupidement » en chemin, vous prenez la mauvaise sortie sur l'autoroute, et vous arrivez avec une grosse demi-heure de retard: le patron, ulcéré, – et probablement avisé du sens secret des retards et des accidents! – préfère ne plus vous recevoir et donne le poste à un autre candidat!

Ou encore, vous voulez faire votre premier investissement immobilier… Vous avez déniché, par un hasard inouï, une propriété sous-évaluée: le propriétaire, qui est pressé de vendre, est prêt à la laisser aller 50 000 $ sous le prix du marché! Mais la veille de faire votre offre, vous passez une épouvantable nuit blanche, torturé par la valse du: «J'achète, je n'achète pas, j'achète, je n'achète pas!» Et au dernier moment, trop nerveux, vous «choquez», comme disent les Américains, vous déclarez forfait, considérant que… ce n'est probablement pas une bonne affaire au fond, qu'il doit y avoir une attrape: c'est trop beau pour être vrai! Et vous vous félicitez de votre belle prudence!

Deux semaines plus tard, pris de regrets, vous revenez sur votre décision et décidez de faire courageusement une offre: mais l'agent immobilier vous apprend que… la propriété a été vendue, en fait encore moins cher que vous étiez prêt à offrir et que, pour tout vous dire, elle a déjà été revendue à un investisseur étranger pour 75 000 $ de plus que le premier acheteur a payé 5 jours plus tôt!

75 000 $ que vous auriez pu gagner en quelques heures alors que vous ne gagnez même pas ça en une année en faisant un travail qu'en plus vous détestez!

Vous auriez envie de vous tuer ou en tout cas de vous botter le cul!

Ces situations évoquent-elles des échos en vous?

Connaissez-vous, autour de vous, des gens qui ont été victimes de semblables «mauvais coups du sort», qui ont vu des fortunes, petites ou grandes, leur passer sous le nez, ou qui, même, ont tout perdu, APRÈS avoir réalisé un coup spectaculaire?

Probablement…

Parce que ça arrive tous les jours à des milliers de gens «malchanceux»!

Mais la question est: s'agit-il vraiment de mauvais coups du sort, de malchance?

La réponse, il me semble, est claire: c'est NON!

Des auteurs appellent ce phénomène hélas trop fréquent de l'autosabotage.

Freud parlerait sans doute d'autopunition…

Moi, pour tenter de l'expliquer, je recourrai à une image fort simple, aussi simple que l'aquarium, que tout le monde peut comprendre.

Howard Hughes disait que tout le monde avait un prix.

Mais c'était du cynisme de sa part : à ses yeux, ça voulait dire qu'il pouvait… acheter n'importe qui, si tant est qu'il y mît le prix !

Et comme il était un des hommes les plus riches de son époque, la chose était aisée…

Mais il n'avait pas tort au fond.

Tout le monde a un prix.

Un prix qui a été fixé en général par les autres.

Ou si vous voulez, un prix que la personne a « accepté », même si ce sont les autres – parents, professeurs, amis, collègues et patrons – qui l'ont fixé pour elle.

Vous, combien valez-vous ?

Quel est le prix pour lequel un patron peut retenir vos services, vous « acheter » ?

30 000 $

50 000 $

150 000 $

1 000 000 $

ou plus ?

En général, ce prix, c'est un prix invisible, ce qui ne l'empêche pas d'être d'une puissance incroyable, pas plus que l'invisibilité du vent ne l'empêche de faire les ravages que l'on sait.

En d'autres mots, si votre prix invisible est de 50 000 $ par année, tout ce qui dépasse ce prix sera « mystérieusement » éliminé : les chances de gagner plus – surtout facilement, surtout si vous ne pensez pas déjà en millionnaire paresseux ! – seront ratées SYSTÉMATIQUEMENT.

Ou bien vous ne les verrez même pas, ce qui revient au même. Parce que ça n'entre pas dans votre « liste de prix », dans votre « prix unique », pour mieux dire, QUI EST LE PRIX QUE VOUS CROYEZ VALOIR, à quelques dollars près.

Mais le contraire est aussi vrai…

Si votre étiquette invisible est élevée, vous verrez comme par enchantement pleuvoir sur vous toutes les occasions en or.

Par exemple, si vous êtes agent immobilier et que votre prix invisible est de 350 000$ par année, même si vos premiers mois ont été «lents», vous allez quand même «finir en beauté», vous allez conclure, en novembre ou décembre, mois en général moins bons, des ventes inattendues et spectaculaires. Et vous allez atteindre *in extremis* votre objectif, parce que, dans votre tête, votre prix invisible est de 350 000$: vous êtes de ces rares agents immobiliers qui gagnent, bon an mal an, malgré les fluctuations du marché, 350 000$ par année!

C'est exactement pour cette raison que le grand Jack Nicklaus réalisait souvent une «charge» à la fin d'un tournoi, qu'on appelait the «Golden Bear's charge», et qui lui permettait de gagner le tournoi in extremis, malgré un retard important au début du deuxième neuf, le dimanche après-midi.

Dans sa tête, il était le grand Jack Nicklaus.

Et c'est pour cette raison qu'il réussissait presque toujours son dernier coup roulé au 18e trou, parce qu'il avait l'habitude de donner un bon spectacle au dernier trou.

Et c'est pour cette raison également, sans doute, qu'à son tournoi d'adieu, à Saint-Andrews, à 65 ans, sur le vert du 18e trou, il a réussi un difficile roulé courbé de 15 pieds, ce qu'il ne réussissait probablement plus très souvent à son âge et que la plupart des golfeurs de son âge auraient raté, surtout sous la pression des caméras du monde entier.

Le millionnaire paresseux croit en la théorie de l'aquarium. Mais il sait aussi que:

L'ACCROISSEMENT DE SON AQUARIUM EST DÉTERMINÉ PAR L'ACCROISSEMENT DE SON PRIX INVISIBLE

C'est là que réside l'obstacle secret dont je parlais à la fin du chapitre précédent.

Car si c'est bien de prendre l'aquarium le plus grand possible, (donc l'objectif), il faut aussi que votre aquarium coïncide avec votre prix invisible.

Mais, me direz-vous, si mon prix est invisible, comment puis-je le voir ?

C'est simple, ce prix invisible correspond… à votre prix visible, donc à votre salaire, surtout si vous êtes au même niveau de salaire depuis des années.

Alors il faut absolument travailler sur ce prix invisible.

Pourquoi est-ce capital ?

En raison de cette loi, que le millionnaire paresseux connaît :

LE PRIX INVISIBLE L'EMPORTE TOUJOURS
SUR L'AQUARIUM

Il faut donc que, pour que la théorie de l'aquarium fonctionne, vous changiez ce prix invisible.

Le premier pas, capital, est de « déménager » dans un aquarium plus grand, donc de prendre un plus grand objectif.

Ensuite, il faut changer son prix invisible en suivant quelques règles simples qui ont fait leurs preuves avec le temps :

1. **METTEZ VOTRE OBJECTIF PAR ÉCRIT : AVEC UN DÉLAI ET UN SALAIRE PRÉCIS.**

C'est très important. C'est un peu la différence entre dire : « Je vais te faire un chèque », et écrire ce chèque et le signer. Lequel préférez-vous ? Le chèque, non ? Eh bien, votre moi invisible, qui contient votre prix invisible, lui aussi.

Écrivez votre objectif un peu comme une cérémonie, un rituel magique entre vous et vous-même : sur une fiche que vous pourrez garder bien en vue, comme une carte routière lorsque vous voyagez : celle qui vous mènera au pays de vos rêves, au pays de votre nouveau moi et de votre nouveau salaire. Par exemple écrivez : « Cette année, je gagne 100 000 $… en travaillant seulement 30 heures par semaine. (Commencez par cette petite réduction de vos heures : en devenant un millionnaire paresseux averti vous pourrez travailler encore moins et faire encore plus d'argent) !

2. DANS LE CHOIX DE CE MONTANT, SOYEZ À LA FOIS AMBITIEUX ET RÉALISTE, ALLEZ-Y PAR ÉTAPES.

Si vous gagnez actuellement 30 000 $, il se peut que vous gagniez l'année prochaine 1 000 000 $ mais c'est plus improbable. Ce n'est pourtant pas impossible et j'en ai vu des exemples. Mais un accroissement ambitieux de votre aquarium serait plus à mon avis de 30 000 $ à 75 000 $.

Et si ça fonctionne cette année, l'année prochaine, vous pourriez passer à 125 000 $ puis l'année suivante à 200 000 $.

Puis à 300 000 $, et ainsi de suite.

L'important est que vous vous sentiez à l'aise dans cet objectif. Soyez honnête avec vous, fiez-vous à votre intuition qui vous guidera.

3. POUR ATTEINDRE ET TRANSFORMER VOTRE « PRIX » INVISIBLE, UTILISEZ L'ARME PAR EXCELLENCE DES PUBLICITAIRES : LA RÉPÉTITION.

Tous les jours vous achetez des objets, vous prenez des décisions sans savoir pourquoi : en fait parce que vous avez été exposé à la répétition d'un message publicitaire. Cette arme fonctionne aussi pour modifier votre prix invisible. Votre message publicitaire, vous l'avez, vous l'avez vous-même rédigé. Alors commencez à vous le répéter.

Quelles sont les heures de grande écoute pour répéter ces messages, quels sont les meilleurs moments ?

Les études ont prouvé que c'était le matin au réveil, et le soir, juste avant de se coucher. Parce que c'est à ces moments-là que vous êtes le plus près de votre moi invisible.

Quand vient une pause publicitaire à la télé, avez-vous remarqué que le volume augmente toujours : je ne sais pas comment ils font, mais c'est comme ça. Ça doit être en tout cas parce que c'est plus efficace. Eh bien, faites la même chose avec vous, parce que vous êtes à la fois l'annonceur et le consommateur : haussez le son !

En d'autres mots, répétez votre message publicitaire à voix haute. Au début, vous allez voir, ça va vous gêner un peu d'entendre votre voix répéter cet objectif audacieux, et vous aurez peut-être l'impression que vous vous prenez pour un autre. Mais c'est justement ce qu'il faut : pour la simple et bonne raison que pour devenir un autre, il faut commencer par… se prendre pour un autre ! C'est le narcissisme sain de la plupart des gens qui ont eu du succès !

Comme disait Chopin : « Si vous voulez devenir un grand pianiste, croyez que vous pouvez devenir un grand pianiste. »

Et ne lésinez pas avec la répétition. Vous avez le budget ! Encore plus que les grandes entreprises ! Vous devriez répéter votre message publicitaire au moins 30 fois, à voix haute, aussi haute que les pauses publicitaires, matin et soir. Et même 50 serait mieux, à mon avis. Et 100 fois, ce serait formidable.

Ensuite, dormez sur vos deux oreilles, et voyez les miracles se manifester dans votre vie !

Comme au golf, vous avez bien lu le vert, puis regardé le trou, puis votre balle, puis le trou puis votre balle : maintenant frappez votre balle avec confiance sans vous demander à chaque seconde si elle va disparaître ou non dans le trou !

Ce travail sur vous-même est C-A-P-I-T-A-L.

Il est sans doute LE PLUS IMPORTANT que vous puissiez jamais faire.

Parce que c'est le plus FACILE et le plus PAYANT !

Le millionnaire paresseux le sait.

Il sait que ce travail vaut plus que toute la sueur de son front, que tous les efforts les plus méritoires, que toute la bonne volonté du monde du travailleur intelligent.

Voilà pourquoi il lui plaît autant.

Voilà pourquoi il y consacre beaucoup de temps.

Le millionnaire paresseux sait comment augmenter astucieusement – et sans efforts – ses revenus grâce au levier magique de l'objectif…

Mais comme tout millionnaire paresseux qui se respecte, il ne veut pas seulement gagner beaucoup d'argent, il veut aussi travailler beaucoup moins.

Aussi utilise-t-il constamment une loi dont le nom même est une musique à son oreille : la loi du moindre effort…

Voyons tout de suite comment dans le prochain chapitre !

Chapitre 10

Le millionnaire paresseux utilise la loi du moinde effort

La loi du moindre effort connaît sans doute plusieurs définitions...

Pour la plupart, ça veut dire d'en faire le moins possible, de rester dans sa zone de confort tant et aussi longtemps qu'on peut...

En scénarisation, il y a une loi amusante, qui ressemble à la loi du moindre effort, et qui stipule qu'un personnage, pour être vraisemblable, n'agira seulement que s'il n'a plus le choix de... ne plus agir, donc qu'il ne sortira de son inertie que s'il y est forcé par les événements ou un autre personnage!

Mais pour le millionnaire paresseux, la loi du moindre effort a un autre sens: elle consiste essentiellement à se dépenser le moins possible pour produire le plus grand résultat (financier) possible...

Cette loi est en fait un corollaire, ou si vous voulez une élaboration de la fameuse loi de Pareto, qui fut découverte par l'économiste italien Vilfredo Pareto, en 1897.

En étudiant les niveaux de richesse dans l'Angleterre du XIXe siècle, il se rendit compte du déséquilibre prévisible de sa répartition, une constatation qui mènerait plus tard à la fameuse loi du 80\20, que développera George Zipf, un professeur de Harvard, puis Joseph Moses Duran, dont les théories, d'abord boudées aux États-Unis, permirent au Japon d'après-guerre de connaître le spectaculaire développement que l'on sait.

Bon, assez de fausse érudition!

Qu'avait constaté Pareto ?

C'est que, grosso modo, 80 % de la richesse de l'Angleterre du XIXe siècle était détenue par 20 % des Britanniques, ce qui est encore vrai dans nos sociétés modernes... Et n'est pas si étonnant, même depuis l'avènement de la bourgeoisie, qui nivela un tant soit peu le niveau de richesse...

Les successeurs de Pareto trouvèrent des applications pratiques de cette découverte... Et c'est ici que tout millionnaire paresseux, accompli ou en herbe, tend l'oreille et prend des notes...

Nous avons tendance, et c'est une erreur, du reste fréquente, à penser qu'il y a une corrélation directe entre les efforts et les résultats.

Que, par exemple, 50 % des heures qu'on travaille, nous permettent de nous acquitter de 50 % de nos tâches, que 50 % de nos efforts nous procurent 50 % de nos revenus...

Que, si on fonde une entreprise, 50 % de nos produits seront responsables de 50 % de notre chiffre d'affaires, que 50 % de nos employés seront responsables de 50 % des revenus, que 50 % de nos vendeurs seront responsables de 50 % de nos ventes...

Mais à la vérité, il y a, comme l'ont mis à jour Pareto et ses successeurs, un déséquilibre prévisible entre les causes et les effets.

En somme, l'expérience montre que ce sont en général 20 % de nos clients qui nous donnent 80 % de notre chiffre d'affaires, 20 % de nos vendeurs qui réalisent 80 % de nos ventes, 20 % de nos efforts qui sont responsables de 80 % de nos succès... et que par conséquent le bon sens nous déconseille, malgré tout notre zèle démocratique, de répartir équitablement notre temps, notre énergie et notre argent entre tous nos clients, entre tous nos vendeurs, entre toutes nos tâches...

Le millionnaire paresseux concentre 80 % de ses efforts et de son temps, aux clients et aux activités payantes, gardant les 20 % qui restent pour les autres, car sait-on jamais...

La chance peut lui sourire de manière inattendue comme elle a souri au type qui cherchait un remède aux maladies rénales et a découvert par hasard le Viagra, ou en tout cas son principe actif, parce que ses patients lui disaient que depuis qu'il les traitait ils étaient constamment en... Enfin, vous savez ce que je veux dire !

Un exemple de la loi de Pareto?

L'édition de livres.

Je sais, pour y avoir travaillé pendant des années, que la loi du 80\20 s'y applique quasi parfaitement et que, pour 10 livres qu'il publiera, un éditeur en général connaîtra les résultats suivants: 3 livres seront publiés à perte, 3 feront leurs frais, 2 rapporteront des profits modestes, et 2 seulement auront vraiment du succès, et parfois un succès exceptionnel, si bien qu'ils permettront à l'éditeur de clore son année budgétaire avec un profit malgré la contre-performance de 6, et au fond de presque 8 titres sur 10.

L'édition est donc un domaine qui obéit parfaitement à cette loi du 80\20, comme du reste le cinéma et l'industrie de la musique, et c'est pour cette raison que, dans la plupart des librairies, on trouve à l'entrée les best-sellers (qui représentent 10 % des livres publiés) que 90 % des clients qui franchissent les portes viennent pour acheter à l'exclusion d'ailleurs de tout autre livre, car ils n'achètent pour ainsi dire rien d'autre.

Les auteurs astucieux suivent eux aussi, comme les éditeurs, la loi du moindre effort...

Prenons par exemple le grand écrivain belge Simenon...

Il a vendu plus de 650 millions de livres à travers le monde, a écrit 400 romans dont plus de 120 Maigret, ces brèves et palpitantes enquêtes policières ayant pour héros l'inspecteur du même nom qui lui valurent fortune et renommée mondiale. (À ses débuts, il les ficelait en 7 ou 10 jours et pouvait écrire jusqu'à 12 romans par année!)

Je sais qu'à différentes périodes de sa vie, même s'il avait décidé de renoncer au roman policier pour se consacrer à ce qu'il appelait ses romans durs, il accepta de reprendre le collier et de pondre d'autres aventures du fameux limier à la pipe, simplement parce qu'il avait besoin d'argent, car il vivait sur un grand pied...

N'est-ce pas un autre exemple de la loi du moindre effort? Quoi qu'il en soit, il me semble que, du moins pour un écrivain, c'est moins ennuyeux et humiliant d'écrire un livre, même commercial, que de devoir faire un autre métier que celui pour lequel il se sent né.

Agatha Christie, aussi, ce me semble, a suivi la loi du moindre effort, en ce sens qu'elle a essentiellement tenté (à part une ou deux tentatives au théâtre) de répéter ses succès passés dans le roman policier…

Du reste, aurait-elle écrit (et son éditeur aurait-il accepté de publier) plus de 80 romans policiers si les premiers (enfin elle n'eut pas de succès avant son septième livre) n'avaient pas marché ? Je me permets d'en douter. Oui, elle a donc elle aussi suivi la loi du moindre effort…

Sir Arthur Conan Doyle, lui non plus, n'avait sans doute pas prévu écrire autant d'aventures de son célèbre détective Sherlock Holmes.

Mais le public, de plus en plus nombreux, et son éditeur, émoustillé par la bonne affaire, lui en réclamaient à cor et à cri et lorsqu'il fit l'erreur de faire mourir son héros, sans doute par lassitude, il dut promptement le ressusciter pour apaiser l'ire de ses fans qui ne lui pardonnaient pas son crime à leurs yeux le plus odieux qu'un homme pût commettre !

Et, plus près de nous, J.K. Rowling, n'a-t-elle pas suivi elle aussi la loi du moindre effort, avec la merveilleuse série des *Harry Potter*, un des plus grands succès d'édition (et de cinéma, tout de suite APRÈS) de tous les temps ?

Même à une époque plus ancienne, que fit Molière, lorsque, ayant écrit sa première comédie, il connut enfin du succès, lui qui voulait à tout prix imiter Racine et Corneille en devenant un grand auteur de tragédie ?

Il obéit au fond à la loi du moindre effort, renonça pour de bon à ses tragédies qui ennuyaient tout le monde et devint le plus grand auteur comique de son époque !

Même si vous ne travaillez pas dans l'édition, inspirez-vous de ces exemples, pour répéter vos succès…

Les grands magasins aussi suivent la loi du moindre effort…

En général c'est à l'entrée que, comme par hasard, ils placent les produits cosmétiques.

Pourquoi ?

Parce que ce sont plus les femmes que les hommes qui font du shopping, d'une part, et d'autre part parce que ces produits sont ceux qui leur procurent les plus grosses marges.

Double avantage donc et autre application de la loi du 80\20 % puisque ce sont ces produits qui, même s'ils n'occupent que 20 % ou 30 % de tout l'espace du magasin, sont responsables des plus grands profits…

Évidemment, me direz-vous, comment savoir à l'avance quels titres (dans d'autres domaines, quels produits, quels services) auront un succès exceptionnel?

Il est vrai que personne n'a une boule de cristal, surtout en édition, ce qui n'invalide pas la loi de Pareto…

Car, pour poursuivre avec le même exemple, l'éditeur astucieux, qui est sans le savoir un millionnaire paresseux, prendra en général les mesures suivantes, qui hérisseront sûrement bien des auteurs (moi y compris), mais qui reflètent pourtant la dure réalité du monde de l'édition:

Il ne répartira pas équitablement, (démocratiquement) sa publicité entre tous ses auteurs. Il sait, comme tout le monde sait dans le milieu de l'édition, que la publicité ne vaut pour ainsi dire rien… SAUF si elle vient appuyer un livre qui a DÉJÀ un potentiel publicitaire, un potentiel commercial, et donc que ce serait absurde de vouloir faire plaisir à ses 10 auteurs de la saison en séparant en 10 parts égales son budget publicitaire.

Et donc il est fort probable qu'il mettra 80 % de son budget publicitaire sur les 20 % de ses livres qui ont commencé à marcher (ou qui marcheront, il en est assuré, en raison des antécédents de l'auteur) car il sait, comme Cocteau, que « les livres ont une histoire tout de suite ou n'en ont pas du tout »…

En somme, il se concentrera sur ses livres ou ses auteurs-vedettes. C'est injuste pour les autres auteurs, je sais, mais tout est injuste dans la réalité économique, car l'édition n'échappe pas au déséquilibre prévisible de la répartition du succès (et de la richesse vers les auteurs) que Pareto a observé.

D'ailleurs, et surtout s'il est avant tout un homme d'affaires, en somme s'il pense en banquier plus qu'en homme de lettres, cet éditeur, qui a compris que (mis à part les manuels scolaires) 80 % des ventes de livres sont attribuables à des livres d'auteurs médiatisés, et ce, peu importe leurs qualités (ou leur absence de qualités) littéraires... cet éditeur donc tentera d'attirer dans son écurie le plus grand nombre possible de ces auteurs, surtout que, en général, ils ne sont l'auteur que d'un seul livre... souvent écrit par quelqu'un d'autre qu'eux !

Un peu déprimant pour les littéraires, qui ne vendent guère, mais c'est la loi cruelle de l'édition contemporaine, avec pour seule exception (quand même !) les très grands éditeurs littéraires, qui se sont constitué avec le temps un véritable trésor grâce aux plus grands auteurs de toutes les époques.

D'ailleurs que les vrais auteurs qui se désolent en pensant que ces auteurs patentés leur volent des ventes se consolent à cette idée : les gens qui achètent ces livres ne « lisent » pas, et ceux qui lisent... n'achètent pas ces livres !

Ainsi, au fond personne n'est lésé... D'ailleurs à la limite, ces livres instantanés qui naissent et disparaissent aussi vite qu'une pluie londonienne, donneront peut-être un jour l'envie, à ceux qui les lisent, d'entrer à nouveau dans une librairie pour acheter cette fois-ci un « vrai » livre...

Mais revenons à l'objection de tout à l'heure...

Comment savoir quels seront les livres ou les services ou les produits qui assureront 80 % de vos revenus ?

En d'autres mots, comment utiliser intelligemment la loi du 80\20 dans votre vie et vos affaires ?

D'abord tentez de déterminer ce qui, dans vos activités, dans vos produits, dans vos services, vous donne 80 % de vos rendements...

C'est un exercice non seulement utile mais nécessaire pour devenir un millionnaire paresseux...

Vous verrez que, en général, la loi du 80\20 sera respectée...

Soit dit en passant, il ne faut pas nécessairement que la répartition soit exactement de 80\20 pour que l'exercice soit utile.

Vous arriverez peut-être au ratio 70\30, ou 65\35, ou parfois 90\10 et même 99\1 !

Une fois que vous aurez une image claire de la situation, du rapport entre vos efforts et vos résultats, vous pourrez prendre les mesures suivantes :

1. si vous avez établi quels sont les 20 % de vos clients qui constituent 80 % de votre business, tentez évidemment de les garder heureux, aussi d'augmenter vos affaires avec eux et en tout cas, chose certaine, ne faites pas l'erreur de répartir équitablement votre temps entre eux (les 20 %) et le 80 % de vos autres clients…
2. tentez de trouver de nouveaux clients (aussi de nouveaux employés, de nouveaux vendeurs) qui correspondent aux critères de vos meilleurs clients (les 20 %) et qui vous permettront de grossir en suivant la loi du moindre effort…

Utilisez aussi la loi du moindre effort pour régler vos problèmes :

1. identifiez quels sont les 15 % ou 20 % ou 25 % de vos clients, de vos employés, de vos vendeurs, de vos fournisseurs qui vous donnent 80 % de vos problèmes : mauvais payeurs, malhonnêtes, nuisibles au climat de travail, peu fiables, retardataires à leur travail ou dans leurs livraisons, etc.
2. tentez ensuite :
    a. le plus rapidement possible (time is money)
    b. avec le minimum d'efforts possible
    c. en dépensant le moins d'argent possible
    d. de la manière la plus permanente possible, pour ne pas que le problème revienne dans un mois, d'améliorer vos clients, employés, vendeurs, fournisseurs, de les rendre semblables à vos meilleurs ou en tout cas à vos bons clients, vendeurs, employés, fournisseurs…
3. si le point 2 a échoué, remplacez-les carrément !

Ça peut paraître froid, inhumain même, mais n'est-ce pas eux, qui, au premier chef, ne se sont pas montrés humains avec vous en vous traitant si mal ?

Au fond, vous ne faites que leur rendre la monnaie de leur pièce !

Et puis, vous évitez souvent de graves pertes financières ou… un ulcère d'estomac !

Le millionnaire paresseux utilise aussi la loi du moindre effort pour investir.

Pensez à ce que font plusieurs financiers qui achètent des compagnies déjà existantes mais mal gérées ou en difficulté – ce qui revient souvent au même !

Ils appliquent la loi du moindre effort.

Car ils estiment, avec raison du reste, que dans 80 % des casils feront par ce « deal » une meilleure affaire que de tenter de démarrer une nouvelle affaire, car les statistiques disent que 8 nouvelles compagnies sur 10 (encore et toujours la loi du 80\20 !) fermeront leurs portes au bout de cinq ans seulement…

C'est une manière de grossir plus rapidement, de devenir plus rapidement le plus gros poisson rouge de l'étang, malgré les dangers qu'une croissance rapide présente.

Parce qu'on peut rationaliser les opérations, faire des économies d'échelle, parce qu'on a plus de volume.

Et bien souvent aussi, du moins selon les régimes fiscaux sous lesquels on vit, on peut réaliser des économies d'impôts (ce qui n'est pas rien) en appliquant les pertes de l'entreprise nouvellement achetée aux profits de sa propre compagnie.

Et quand en plus la nouvelle compagnie a été achetée avec de l'argent emprunté, c'est doublement intéressant.

C'est aussi, au fond, une leçon de la loi du 80\20, qui dit qu'il est préférable de concentrer tous ses efforts, oui, vous m'avez bien entendu, tous ses efforts, dans un créneau fort étroit, (et qu'on aime obligatoirement) plutôt que de s'éparpiller dans différents domaines…

En d'autres mots, et ça va à l'encontre de la sagesse populaire :

LE MILLIONNAIRE PARESSEUX MET
TOUS SES ŒUFS DANS LE MÊME PANIER

En autant que ce soit un panier où il y a des œufs en or, bien sûr !

Oui, tous ses œufs dans le même panier, surtout quand il est parvenu, grâce à sa réflexion et ses essais infructueux du passé, à enfin trouver l'art d'extraire ces œufs en or, parce qu'il voit maintenant dans son domaine ce que la plupart des gens ne voient pas : ce qui est simplement une autre manière de dire qu'il a enfin de l'expérience.

Chapitre 11

Le millionnaire paresseux ne devient pas fou avec la loi du moindre effort

Le millionnaire paresseux applique systématiquement la loi du moindre effort pour identifier ses meilleurs produits, vendeurs, fournisseurs, employés et clients.

Il l'utilise aussi pour la raison inverse: pour éliminer ceux qui lui causent pertes de temps, d'argent, et soucis de toutes sortes.

Mais il ne devient pas fou avec cette loi.

Quoi qu'on en pense, il n'est pas une froide machine à dollars…

Il reste humain surtout qu'il sait, par expérience, que c'est souvent ça qui est… le plus payant!

Oui, il sait rester humain et cordial et sympathique avec tous ceux qu'on rencontre, qu'ils soient ou non susceptibles de l'aider dans ses efforts de millionnaire paresseux!

Car il sait que, comme on dit, on… ne sait jamais à qui on a affaire.

Par exemple, la directrice d'une des maisons d'édition avec laquelle je fais régulièrement affaire était, lorsque je l'ai connue, simple… réceptionniste!

Inutile de vous dire que je ne regrette pas de m'être montré toujours avenant avec elle. Il faut dire que je n'ai guère de mérite car elle était… extrêmement jolie!

Mais, blague à part, il faut, je crois, aller dans sa vie avec la certitude que chaque être qu'on rencontre est important et a droit à notre considération et notre respect…

Mais en même temps (il y a toujours un mais, non ?) il faut comprendre qu'on ne peut pas consacrer autant de temps à chacun et chacune, sinon on n'en finirait pas...

Tout millionnaire paresseux sait qu'il doit constamment faire des choix, et le plus de bons choix possible.

Il sait aussi, il me semble, tempérer l'application de la loi de Pareto avec... la loi de la moyenne !

Car on ne sait pas au départ quels seront, parmi nos produits ou nos services, ceux qui nous vaudront la fortune...

Alors il faut donner la chance au coureur, comme on dit, se fier à la loi de la moyenne, multiplier les tentatives peu coûteuses puis... établir le plus rapidement possible les tendances heureuses, les faire fructifier et laisser mourir dans l'œuf les autres qui, si on s'y acharne, nous conduiront à la ruine ou à la frustration...

Je me souviens (et j'ai déjà raconté cette anecdote édifiante dans *Le Bonheur et autres mystères)* de la première fois où j'ai planté des rosiers, à ma maison de Beaconsfield.

Dans mon zèle de néophyte, j'en avais trop acheté pour mes plates-bandes, et il m'en restait cinq ou six. Jeter des rosiers est un véritable crime de lèse-majesté, surtout si ce sont des Queen Mary, pas seulement parce qu'ils coûtent une quinzaine de dollars l'unité, mais parce qu'un rosier, c'est un peu comme un être humain, en tout cas ça a une âme. Enfin, seule une brute jette aux orties un rosier !

Ces cinq ou six plants en main, je m'aperçus qu'il restait sur mon terrain que je ne connaissais pas encore très bien, une petite parcelle de terre que je ne croyais pas idoine à la culture heureuse des rosiers, car la terre en était pauvre et sablonneuse.

Je les y plantai tout de même, me disant qu'ils ne feraient sans doute qu'une saison et que je devrais m'en défaire l'été suivant... Or, par un phénomène étrange, (étrange parce que je n'étais qu'un horticulteur en herbe !) ce furent, de tous mes rosiers, ceux qui connurent la floraison la plus spectaculaire, année APRÈS année.

Dans mon inexpérience de débutant, j'ignorais que les rosiers que j'avais plantés en premier avaient été mal plantés, car je les avais plantés le long des immenses haies de cèdre qui entouraient ma propriété.

Or les rosiers, comme bien des fleurs, ne souffrent pas la concurrence, c'est-à-dire qu'ils en souffrent surtout si elle provient d'une haie de six mètres de haut, qui jette de l'ombre et appauvrit la terre de ses nombreuses racines…

En fait ils aiment le soleil, bien sûr, mais aussi une terre en bonne partie… sablonneuse !

Comme celle dans laquelle j'avais planté mes six derniers rosiers et que je croyais à tort impropre au succès !

Belle preuve, ce me semble, qu'il faut donner la chance au coureur, travailler avec la loi de la moyenne, et que le génie premier de tout entrepreneur est de faire de nombreuses tentatives, puis de voir ce qui pousse bien ou pousse mal…

Nous venons de voir comment tirer un maximum de profit de la loi du moindre effort. Voyons maintenant comment faire un maximum de choses en un minimum de temps, ce qui est libérateur et essentiel pour devenir un millionnaire paresseux.

CHAPITRE 12

Le millionnaire paresseux joue avec la loi de Parkinson

La première loi de Parkinson dit:

« Tout travail prend de l'expansion de manière à remplir le temps disponible pour sa complétion. »

Énoncée de manière humoristique dans le livre *Le Principe de Peter*, de C. Northcote Parkinson (c'est pour ça que ça s'appelle la loi de Parkinson et ça n'a rien à voir avec la maladie!), cette loi veut dire en mots plus simples:

« On prend toujours autant de temps pour faire une tâche que le temps qui nous est alloué. »

Par exemple si...

1. votre patron vous demande un rapport pour la fin du mois, il est fort probable que, même si vous avez trois semaines pour le faire, vous ne vous y mettrez vraiment sérieusement que quelques jours avant l'échéance, et que la veille de la date de tombée, vous en serez encore à y mettre la dernière main.
2. vous êtes étudiant, 80 % de votre temps d'étude est réalisé la veille ou l'avant-veille de votre examen, et 80 % du temps de rédaction de votre dissertation sera réalisé la veille ou l'avant-veille du jour où vous devez la remettre, avec la forte probabilité d'une longue nuit blanche pour pouvoir apposer le point final...

3. vous êtes un contribuable (s'entend un contribuable qui paie ses impôts!) et même si vous avez en main tous les papiers dès février, il est fort probable que vous attendiez la dernière semaine d'avril, ou même le 30 avril pour faire et poster votre déclaration des revenus, souvent en faisant la queue au bureau de poste qui est exceptionnellement resté ouvert jusqu'à minuit pour accepter les envois des retardataires...

Vous avez déjà expérimenté cela, non?

Au fond, si on y pense, c'est une sorte de variante ou d'application (une autre!) de la loi de Pareto puisque ce n'est que 20 % ou même moins, 10 % ou 5 % du temps qui vous est alloué qui vous sera nécessaire pour accomplir 80 % ou 90 % de la tâche...

En réfléchissant à cette loi psychologique, je me suis dit, en millionnaire paresseux, que je pourrais jouer avec, en tirer... profit!

Je me suis dit ça justement quand j'ai commencé à gagner ma vie comme «ghost writer», ayant quitté après mûre réflexion mon travail régulier dans l'édition à l'âge de 31 ans...

Un ghost writer, en édition, c'est un écrivain fantôme, un nègre.

Si vous ne savez pas encore ce que ça veut dire, je vais vous l'expliquer: c'est un auteur, en général fauché et inconnu, qui écrit pour d'autres, en général riches et connus, des livres qu'ils n'ont pas le temps d'écrire mais qu'ils ont quand même le temps de signer...

Et ils trouvent aussi le temps d'autographier leur livre aux nombreux admirateurs de «leur» talent, et d'encaisser leurs droits de (faux) auteur, ce que le nègre ne peut pas faire, bien sûr, car il est bien trop occupé à noircir les pages du prochain livre qu'on lui a commandé!

Malgré tout, ce travail ne me déplaisait pas.

J'estimais qu'il était une bonne école, meilleure sans doute que de faire mille et un métiers, ce pour quoi je ne me sentais guère de goût car les livres, c'est ma vie... littéralement.

Comme j'étais payé à la page, plus je travaillerais vite, plus je ferais d'argent, bien sûr, et mieux je pourrais «acheter» du temps pour écrire mes livres à moi!

Donc je me suis dit, en millionnaire paresseux en herbe : s'il est vrai, selon la loi de Parkinson, qu'on prend toujours autant de temps pour faire une tâche que le temps qui nous est alloué, que se passerait-il si je raccourcissais délibérément le délai que je m'accorde habituellement pour faire un livre ?

Par exemple, si au lieu de me donner 6 mois pour écrire un livre de 200 pages (comme je faisais avant lorsque je gagnais ma vie grâce à mon poste en édition) je m'en donnais seulement 4...

Comment me sentirais-je ?

Pas trop stressé, à la vérité, étais-je obligé d'admettre, et j'admets que je ne stresse pas trop facilement...

Et si au lieu d'avoir 6 ou 4 mois, j'avais seulement 3 mois pour « pisser » ma copie, comme on dit dans le métier ?

À nouveau, comment me sentirais-je ?

Pas beaucoup plus stressé, en fait...

Je poussai plus loin cette logique et me demandai ce qui se passerait en moi – et à mon clavier ! – si je réduisais encore ce délai...

Le premier contrat de nègre qui me fut confié était un livre sur... la gestion du temps !

Quel heureux hasard, pour quelqu'un qui cherchait à travailler vite et bien !

Je devais, pour le réaliser, lire une vingtaine de livres que l'éditeur m'envoya d'Europe dans une grosse boîte.

Avant de les lire, je réfléchis à la meilleure manière de le faire et mis au point une méthode que j'ai toujours conservée depuis. Je consacrai 3 heures à parcourir rapidement les 20 livres pour déterminer dans quel ordre je devais les lire.

Je fis une découverte intéressante : en général, il n'y a pas des tonnes de bons livres sur un même sujet. En fait, seulement 20 % des auteurs sont vraiment originaux, et disent grosso modo 80 % de ce qu'il y a à savoir sur la question.

Je constatai en outre que, sauf dans les romans bien entendu, 20 % du texte d'un livre contient en gros 80 % de la pensée de l'auteur. Et ce 20 % se trouve commodément au même endroit : dans les premiers paragraphes de chaque chapitre ou, bien sûr, et de manière plus succincte encore, en résumé à la fin. Tout le reste n'est qu'exemples, contre-exemples, études ou statistiques pour appuyer la thèse originale, si tant est qu'elle le soit !

Je lus en premier, en entier et attentivement, le meilleur livre, puis le deuxième et le troisième un peu plus vite et les autres à une vitesse inversement proportionnelle à leur qualité, passant littéralement en coup de vent sur les derniers qui ne contenaient en général rien de bien nouveau ou de vrai.

On aurait pu dire d'eux ce qu'un détracteur (maintenant oublié !) de Freud lui dit un jour à la suite d'une de ses brillantes conférences :

« Dans ce que vous avez dit, il y a des choses nouvelles et des choses vraies. Mais les choses vraies ne sont pas nouvelles et les choses nouvelles ne sont pas vraies. »

Résultat, en une dizaine de jours j'avais lu les 20 ouvrages, appliquant sans le savoir les principes du millionnaire paresseux, ce qui prouve, s'il en était besoin, que pour écrire rapidement il faut aussi, du moins dans ce métier… lire rapidement !

Au bout d'un mois et demi, le livre de 300 pages était écrit.

J'envoyai le manuscrit à l'éditeur… qui s'en montra fort content et m'envoya un chèque de 20 000 $!

Je venais d'« acheter » plusieurs mois de liberté pour écrire un roman !

Je ne vous raconte pas mes débuts par vanité d'auteur (de ghost writer pour mieux dire !) mais parce que c'est ce que je connais et on ne parle bien que de ce qu'on connaît bien !

Je sais que vous n'êtes probablement pas écrivain, (même si j'ai parfois l'impression que tout le monde écrit ou veut écrire !) et vous n'êtes pas obligé de lire deux livres par jour, mais il est fort possible que, dans votre métier, vous soyez submergé de rapports, d'études longues et détaillées, de documentation de toutes sortes… Aussi ces méthodes de millionnaire paresseux peuvent-elles vous être fort utiles, je crois.

Pressé par le temps, je me pose parfois la question suivante, devant un livre que je dois lire pour enrichir tel chapitre d'un de mes livres ou d'une conférence :

« Si tu ne pouvais passer qu'une heure en compagnie de cet auteur et de son livre de 200 pages que ferais-tu ? »

« Tu le lirais en une heure ! »

Et c'est ce que je fais !

Et je retiens, ou plutôt j'absorbe au moins 80 % de l'information du livre.

Quant aux 20 % manquants, j'estime qu'ils ne valent pas la peine que j'y consacre l'heure ou deux de plus qu'il me faudrait pour l'en extraire...

C'est le contraire du perfectionnisme, je sais, mais souvenez-vous ce que Churchill a dit au sujet de ce travers trop répandu, qui n'est souvent qu'un autre masque de la procrastination : « Perfectionnisme s'épelle P-A-R-A-L-Y-S-I-E ! »

Faites-en l'expérience avec une étude de 30 pages.

Dites-vous :

« Si je n'avais que 15 minutes pour la lire avant une réunion, qu'est-ce que je ferais ? »

«Je la lirais en 15 minutes ! »

Et vous serez surpris de ce que vous en retiendrez...

Les applications de la loi de Parkinson sont fort nombreuses et sous-estimées.

Demandez-vous par exemple : *« Si je devais rencontrer 10 nouveaux clients en une semaine, en un jour, en une heure que devrais-je faire ? »*

Poussez plus loin encore cette logique...

Demandez-vous : *« Si je devais rencontrer 300 clients en une seule heure, que devrais-je faire ? »*

Peut-être simplement vous mettre à l'art oratoire pour pouvoir donner des conférences !

Ce qui est un levier formidable pour vous faire connaître et attirer des contrats lucratifs !

Allez encore plus loin. Demandez-vous :

«Si je devais parler à 500 000 clients potentiels en une seule heure, que ferais-je ? »

Vous tenteriez de faire une apparition à la télé !

Demandez-vous :

« Si je n'avais que 2 jours pour remettre mon rapport, au lieu du mois que mon patron m'a accordé, que ferais-je ? »

Ne passerais-je pas plus rapidement au travers des statistiques que je dois me taper ?

Ou ne demanderais-je pas à mon assistant, ou à ma secrétaire, qui a la bosse des chiffres, de me faire un résumé de deux pages, ou même d'une seule page ?

Ne pourrais-je m'inspirer, si je dois me mettre au parfum d'un domaine nouveau, ou des problèmes d'un service dont on vient de me confier l'administration, de l'exemple de J.F. Kennedy ?

Cet homme étonnant, qui lisait apparemment 1 500 mots à la minute (la moyenne doit se situer autour de 300...) avait pris l'habitude, surtout lorsqu'il ne connaissait pas un sujet, de demander à son interlocuteur, qui supposément le connaissait, quelles étaient... les 10 choses qu'il devrait savoir sur la question !

Simple mais brillant, non ?

LES 10 CHOSES QUE VOUS DEVEZ SAVOIR SUR UNE QUESTION...

Ou si 10, c'est trop, les 5 choses...

Parfois vous pouvez aussi demander tout simplement :

« QUELLE EST LA CHOSE LA PLUS IMPORTANTE QUE JE DEVRAIS CONNAÎTRE À CE SUJET ? »

« QUEL EST LE PROBLÈME LE PLUS IMPORTANT QUE JE VAIS RENCONTRER DANS CE DOMAINE, DANS CE DÉPARTEMENT, AVEC CET EMPLOYÉ, AVEC CE PATRON, DANS CE PAYS, CE QU'IL EST UTILE DE SAVOIR SURTOUT SI VOUS ÊTES PRESSÉ PARCE QUE VOUS VOYAGEZ PAR AFFAIRES ? »

Connaître la loi de Parkinson et surtout l'utiliser astucieusement peut devenir fort libérateur.

Pourquoi ?

Parce que si vous faites comme tout le monde et prenez tout le temps qui vous est alloué pour accomplir une tâche, vous ne faites pas, je crois, le meilleur usage possible de votre temps.

Je vais vous dire pourquoi.

Supposons par exemple que vous ayez un mois pour accomplir un travail, disons un rapport… Les trois premières semaines, peut-être même les 25 ou 26 premiers jours, vous ne ferez probablement que 20 % de la tâche, et peut-être encore moins surtout si vous avez tendance à procrastiner, c'est-à-dire à toujours remettre au lendemain jusqu'à ce que vous n'ayez vraiment plus le choix…

Vous ne travaillerez pas très dur, et pourtant votre esprit ne sera pas libre…

Votre stress petit à petit augmentera, pour culminer les derniers jours et surtout la veille de la date butoir.

Si à la place vous vous dites, – malgré le délai réel – :

« *Je n'ai qu'une semaine pour accoucher de ce rapport…* », vous vous créerez, il est vrai, du stress, mais ce sera du bon stress, parce que vous garderez toujours à l'esprit, qu'en vérité, vous avez plus de temps.

Et comme vous terminerez dès la première semaine, les trois semaines qui vous resteront seront… à VOUS !

Et forcément vous dormirez mieux, vous digérerez mieux, vous vivrez plus vieux et serez d'un commerce plus agréable parce que, au fond, en redéfinissant ce délai, c'est… VOUS que vous aurez redéfini sans le savoir !

Ce délai qui vous avait été imposé par votre patron ou un client, ou un prof, c'est VOUS qui l'avez fixé.

C'est VOUS qui menez votre barque : vous n'êtes plus mené par les autres à coup de délais !

Et je peux vous dire pour l'avoir vécu des centaines de fois, que ça fait une différence énorme dans votre vie !

Un petit conseil en passant : ce rapport que vous avez fini à l'avance, ne le remettez pas… trop à l'avance !

Pour deux raisons, que vous avez peut-être devinées ou expérimentées dans le passé : la première, c'est que votre patron (si du moins vous en avez un !) aura tendance à vous bombarder immédiatement avec un autre travail, pour ne pas que vous vous tourniez les pouces à ses frais…

La deuxième, c'est que, du moins s'il n'est pas un millionnaire paresseux, votre patron ou votre client ou votre partenaire aura tendance à penser que votre rapport n'a pas la même qualité que si vous aviez pris, comme font la plupart des gens, tout le temps qui vous était alloué; même si, au fond, ces gens n'ont pris que la dernière semaine ou les derniers jours, et donc en somme, n'ont pas travaillé plus longtemps que vous.

Mais ça, seuls les millionnaires paresseux et leurs émules peuvent le comprendre!

Évidemment, tout le monde comprendra qu'il y a une sorte de limite matérielle, si je puis dire, lorsqu'on joue avec la loi de Parkinson.

Il serait difficile (je n'ai pas dit: impossible) d'écrire 200 (bonnes) pages en 3 jours à moins de recourir, comme le faisait allègrement Dumas, à toute une équipe de nègres…

Et puis, il faut toujours garder à l'esprit (notre meilleur ami ou notre pire ennemi!) qu'on joue avec la loi de Parkinson pas pour se rendre malade, mais… pour se libérer!

Si vous êtes (ou voulez devenir) un millionnaire paresseux, vous savez que l'égalité de votre humeur est votre maîtresse suprême, que c'est à elle et à elle seule que vous devez rendre un culte!

Aussi vous faut-il rester à l'aise avec cet exercice de contraction volontaire des délais.

N'instillez en vos veines que la dose de (bon) stress nécessaire pour donner des ailes à votre esprit!

Ne soyez pas bête: arrêtez-vous lorsque ces astuces, au lieu de vous libérer, commencent à vous stresser!

Chapitre 13

Le millionnaire paresseux fait les choses les plus payantes en premier

Vous connaissez sans doute l'anecdote de ce vieux prof de Harvard, spécialiste en gestion du temps.

Mais je vous la raconte de nouveau pour vous en montrer une application à laquelle vous n'avez peut-être pas pensé.

Lorsque le cours commence, le prof a sur son bureau un grand bocal qui pourrait servir d'aquarium portatif.

Il prend sous son bureau une boîte remplie de pierres grosses comme le poing et demande à ses élèves:

« À votre avis, combien de pierres peuvent entrer dans le bocal ? »

Chacun y va de son estimation, et le professeur finalement remplit le bocal, puis s'adresse à nouveau aux élèves:

« Est-ce que le bocal est plein ? »

Comme le prof a eu de la difficulté à faire entrer la dernière pierre, tout le monde s'empresse d'acquiescer.

Le prof esquisse un petit sourire et tire de sous son bureau une chaudière de gravier et parvient à en verser une grande quantité entre les espaces laissés par les pierres.

Il demande à nouveau: « Est-ce que le bocal est plein ? »

Comme ce sont des étudiants de Harvard, et qu'ils sont futés et qu'ils se sont fait avoir une première fois, ils se méfient naturellement et répondent par la négative. Avec raison d'ailleurs parce que le prof prend aussitôt un pichet d'eau et parvient à en verser presque la moitié dans le bocal.

Enfin il demande: «À votre avis qu'ai-je voulu démontrer par cette expérience?»

– Que même si on croit que notre horaire est plein, on peut toujours y ajouter autre chose, surtout APRÈS avoir suivi votre cours!» lance un étudiant.

Amusé, le prof sourit à nouveau, mais doit le rabrouer gentiment:

«Non, ce que j'ai voulu démontrer c'est que si je n'avais pas mis les grosses pierres en premier, je n'aurais pas pu les mettre à la fin parce qu'il n'y aurait plus eu d'espace.»

Les grosses pierres bien entendu, ce sont les choses importantes...

Et pour un millionnaire paresseux, les choses importantes, (j'entends dans son travail, bien entendu!) ce sont les choses payantes...

Encore une fois, pas parce qu'il est mercantile...

Mais plutôt parce qu'il est conscient de sa valeur, et de la valeur de son temps...

Et qu'il sait que les choses payantes et seulement les choses payantes vont le libérer, vont lui donner plus de temps... pour penser à d'autres choses payantes!

Et pour pouvoir se la couler douce aussi bien entendu!

Et qu'il sait que s'il se laisse accaparer par le gravier et l'eau, il ne lui restera plus de temps pour les grosses pierres, il ne lui restera plus de temps que pour de la «grenaille», comme on dit?

Vous voyez, c'est pour ainsi dire le cercle vertueux du millionnaire paresseux!

Et vous, pensez-vous comme cet étudiant?

Cet étudiant qui utilise la gestion du temps seulement pour pouvoir avoir un horaire encore plus chargé, et par conséquent encore plus stressant?

Mettez-vous d'abord le gravier et l'eau dans votre bocal, si bien qu'il ne reste plus de place pour les pierres?

Ce ne serait pas étonnant, car c'est ce que la plupart des gens font, et c'est pour cette raison qu'ils restent toute leur vie enchaînés à leur travail, et c'est pour cette raison qu'ils ne deviennent jamais des millionnaires paresseux...

Ils ne se rendent pas compte que, dans le bocal de leur vie, l'eau, (courante) ce sont les affaire courantes, c'est le train-train quotidien, les habitudes, les petites obligations dont ils croient devoir s'acquitter parce que... ils l'ont toujours fait.

Et ensuite ils s'étonnent que même s'ils continuent de faire ce qu'ils ont toujours fait, ils continueront d'avoir les mêmes résultats que dans le passé !

Et le gravier, ce sont les urgences, les urgences qu'ils croient importantes parce que ce sont des urgences, et qui dévorent leur temps et leur font perdre de vue les choses qui justement sont vraiment importantes.

Pour le millionnaire paresseux, la véritable urgence c'est de se mettre tout de suite et constamment à trouver et à travailler à des choses payantes...

Le millionnaire paresseux fait tout pour ne pas faire l'erreur que la moitié des cadres américains font ?

Et que vous faites peut-être sans vous en rendre compte...

En effet, selon une étude menée par un grand spécialiste américain de gestion du temps, le Dr de Woot, 50 % des cadres (parmi ceux qui n'avaient pas eu de formation en gestion du temps, s'entend !) passaient 50 % de leur temps à faire des tâches qui auraient pu être faites par leur secrétaire !

Pas très payant pour la compagnie qui les embauche !

Et soit dit en passant, plutôt injuste pour les secrétaires qui devraient au fond avoir comme augmentation de salaire la moitié de ce que touche leur patron, non !

Pas étonnant dès lors, que la plupart des cadres se disent débordés puisqu'ils ne font que la moitié du temps le travail pour lequel ils sont vraiment payés !

L'important pour un millionnaire paresseux est de n'accepter de faire que le travail qui se situe à son véritable niveau de talent...

Les grandes stars de cinéma s'inspirent de ce principe, qu'elles le sachent ou non...

En effet, si plusieurs vedettes du grand écran sont issues du petit écran, peu y retournent sauf pour faire la promo de leurs films, évidemment...

Comme le disait fort justement Jack Nicholson : « Si un fan peut me voir gratuitement à la télé, pourquoi paierait-il 8 $ pour aller me voir au cinéma ? »

Pour arriver à ne travailler qu'à son véritable niveau de talent, vous allez voir, ça prend du... talent !

Et de la lucidité, de la discipline, peut-être un peu d'orgueil même, en tout cas le sens de sa propre valeur, qu'on ne doit surtout pas laisser diminuer par les autres, amis, parents, collègues, si habiles à ce sport trop répandu...

Vous, vous imposez-vous 80 %, 95 % même du temps, de ne travailler qu'à votre véritable niveau de talent ?

Faites-vous quelque chose que quelqu'un d'autre pourrait faire à votre place, à meilleur compte ?

Ou bien, un peu de manière masochiste, parce que vous ne croyez pas vraiment en vous, n'êtes-vous pas pour vous-même le plus injuste des patrons en vous obligeant à faire vous-même des tâches de secrétaire ?

Comprenez-moi bien, je ne veux en rien discréditer le travail des secrétaires, non seulement indispensable mais souvent admirable.

Alors, réflexion faite, travaillez-vous essentiellement à votre véritable niveau de talent ?

C'est important de vous le demander.

Vraiment.

Si vous ne le faites pas, vous ne gérez pas votre temps comme un millionnaire paresseux.

Parce que, rappelez-vous, vous n'avez pas beaucoup d'heures, pas beaucoup d'années à votre disposition : il faut que vous en fassiez le meilleur usage possible.

Il va y avoir des obstacles, je vous le dis...

Et le principal, c'est... VOUS !

Oui, vous, parce qu'il est probable que, du moins au début, jusqu'à ce que vous soyez bien imprégné des principes du millionnaire paresseux, vous ne vous sentirez pas à l'aise à n'œuvrer qu'à votre véritable niveau...

Vous allez un peu vous sentir sur la corde raide, ou comme un funambule qui travaille sans filet...

Oui, sans le filet formé de toutes ces petites tâches pas vraiment importantes – et pas vraiment payantes – de toutes ces petites interruptions que vous tolérez depuis des années, et qui font passer le temps, meublent votre angoisse et vous dispensent de vous consacrer à l'essentiel !

Oui, vous rencontrerez des obstacles...

Et le principal est sans doute l'habitude, cette seconde nature, adorable lorsqu'elle est bonne, détestable lorsqu'elle sabote tous nos efforts, étouffe tout les projets qui nous tiennent vraiment à cœur...

Parce que peut-être acceptez-vous depuis des années de travailler pour 10 $ ou 15 $ ou 50 $ dollars de l'heure alors que vous savez au fond de vous que vous valez plus, alors que vous pourriez gagner 100 $, 200 $ ou même 5 000 $ de l'heure si vous pensiez en millionnaire paresseux...

Oui, 5 000 $!

Parce que l'idée de génie que vous avez et que vous mettrez enfin au point en quelques mois vous rendra millionnaire !

Ça fait combien de l'heure, ça ?

Au moins 5 000 $, non ?

Rockefeller disait souvent à ses employés :

« Au lieu de travailler, détachez votre cravate, mettez vos pieds sur votre bureau et demandez-vous comment vous pourriez faire gagner plus d'argent à votre compagnie ! »

Mettez ça à votre agenda.

Oui, prenez régulièrement du temps pour réfléchir, pour raffiner vos méthodes, pour trouver des idées... plus payantes !

Toutes les semaines.

Ou au moins tous les mois.

Un après-midi, ou un avant-midi.

Moi, en tout cas, je le fais : j'appelle ça... l'après-midi payant !

Notez-la ainsi dans votre agenda : APRÈS-MIDI PAYANT.

Ça va être plus fort que vous, vous aurez hâte d'y arriver, (surtout si le reste de la semaine ne l'a pas été !) comme vous avez sans doute hâte depuis trop longtemps d'arriver au week-end ou à vos deux semaines de vacances annuelles, parce que vous n'avez pas appris à être toujours en vacances, à vous libérer de la tyrannie du travail.

Au début, je vous préviens, vous n'y croirez peut-être pas, vous aurez un sourire sceptique sur les lèvres…

Mais quand, en raison de ces après-midis vous aurez effectivement gagné 10 000$, 50 000$ ou même 1 000 000$ (oui, il y a 7 chiffres, c'est un million !) de plus par année, vous allez sourire encore, mais ce sera de satisfaction !

Vous allez sourire parce que vous allez voir que ce ne sont pas juste des mots en l'air : APRÈS-MIDI PAYANTS.

Lorsque je parle de ce travail, de ces « après-midi payants », la plupart des gens (à coup sûr s'ils ne sont pas millionnaires !) sourcillent ou sourient.

Et lorsque dans une conférence, je demande :

« Combien y en a-t-il dans la salle qui, le mois dernier, ont passé un après-midi, ou même une seule heure à se demander, crayon en main, comment ils pourraient faire plus d'argent ? »

En général, il n'y a pas beaucoup de mains qui se lèvent, parfois une seule et c'est pour demander de… répéter la question, s'il vous plaît !

Et pourtant je suis persuadé que la plupart des millionnaires, paresseux ou pas, gèrent ainsi leur temps : en passant une grande partie de ce dernier (et pas seulement des après-midi ici et là !) à faire justement cela : se demander comment ils pourraient faire plus d'argent, plus facilement, plus vite, comment économiser sur telle opération, comment améliorer tel produit, à eux ou leur concurrent, comment offrir à leurs clients un meilleur service à meilleur compte…

Oui, ils font cela, la plupart du temps, les millionnaires, alors que ceux qui ne le sont pas ne le font pas ou presque pas.

C'est ça, au fond, le véritable… indice de richesse !

Pas celui défini par le ministère du Revenu pour traquer ceux qui font de l'évasion fiscale et qui tente d'établir combien vous avez de voitures, et de quel prix, combien vaut votre maison, et si le salaire que vous déclarez est « logique » en fonction de votre train de vie…

Oui, à mon avis, le véritable indice de richesse (future) d'une personne, c'est le temps qu'elle passe à se demander comment trouver des idées plus payantes… jusqu'à ce que, bien sûr, elle soit si riche qu'elle ne se pose plus aucune question financière.

J'ai aussi dit, dans un autre livre (*Les Principes spirituels de la richesse*) que l'indice de la richesse était mesurable en général par la quantité de « bonnes dettes », de revenus passifs, qu'un individu s'était créé, mais je reviendrai sur cette question dans quelques chapitres…

Bon, maintenant voici quelques règles pour que vos après-midi payants soient réussis :

PREMIÈRE RÈGLE

Ne choisissez pas pour ce « travail » une journée où vous êtes épuisé.

Vous avez besoin du meilleur de vous-même.

Vous travaillerez quand… vous serez épuisé !

Quand vient le temps de penser (à des idées payantes) il faut que vous soyez frais comme une rose.

C'est comme ça qu'on peut… les sentir !

Si vous n'êtes jamais frais comme une rose, c'est que vous travaillez trop dur…

Et si vous travaillez trop dur, c'est que vous travaillez mal…

Et si vous travaillez mal, vous ne faites pas d'argent…

Et si vous ne faites pas d'argent, vous n'avez pas de temps libre…

Vous me suivez ?

Donc frais comme une rose, vous pensez.

Pendant deux heures.

Trois heures.

Une journée entière.

DEUXIÈME RÈGLE

Interdit de se laisser distraire pendant ce vrai « travail » par des coups de fil ou des courriels ou des visiteurs.

TROISIÈME RÈGLE

Faites-le crayon en main. Ou à votre ordinateur, pour qu'il en reste quelque chose.

Que vous pourrez analyser et raffiner.

QUATRIÈME RÈGLE

Vous pouvez à l'occasion le faire avec un conseiller, un partenaire.

Ou un simple ami qui n'a pas besoin d'être dans le même domaine que vous.

Ainsi j'ai un ami qui est un brillant homme d'affaires, qui ne connaît rien à mon domaine et qui pourtant me donne souvent des conseils fort avisés. Souvent étonnants, et presque toujours frais, parce que justement il ne connaît pas mon domaine et a forcément une perspective différente.

Et comme bien entendu c'est un esprit positif et créatif (qui lui a valu sa fortune car il est parti de rien) eh bien, ça me stimule et ça m'éclaire.

CINQUIÈME RÈGLE

Au lieu de vous contenter de prendre un après-midi ou une journée, prenez parfois une semaine entière.

Et passez cette semaine hors de votre bureau, de votre maison. Dans un décor nouveau.

En voyage.

Pour prendre du recul, de la distance, la meilleure manière c'est justement de… s'éloigner physiquement de notre caverne habituelle.

On voit ainsi les choses de loin, ou de haut… surtout si on est en montagne !

Hors de votre aquarium, vous voyez mieux la couleur de l'eau dans laquelle vous baignez depuis des années.

Vous pouvez vous évader « accompagné » de votre bocal mais si vous êtes seul, vous en tirerez, je crois, un plus grand bénéfice.

Le silence est une véritable « lanterna magica ».

Il démêle les écheveaux les plus complexes, éclaire les problèmes les plus obscurs.

Si vous avez une vie de couple ou une vie de famille, ce n'est pas toujours facile à négocier, mais alors au lieu de prendre une semaine, prenez trois ou quatre jours. Et ayez bien entendu l'élégance d'accorder le même «congé mental» (ça ressemble à congé parental mais c'est différent!) à votre partenaire.

En vous livrant à ce «travail», peut-être nouveau pour vous au début, vous allez vous rendre compte à quel point le seul fait de «brancher» votre cerveau sur ces questions d'argent fera des merveilles pour vous.

Vous allez vous rendre compte, ravi, qu'il suffisait de le faire, de faire ces demandes à votre esprit.

À votre génie intérieur.

Demandez et vous recevrez!

Et n'ayez pas peur de faire des demandes audacieuses!

P.-S.: Une petite variante (lucrative) de cet exercice:

Au cours de ces après-midi payants, demandez-vous:

« Si j'avais une semaine, seulement une semaine pour trouver une manière d'augmenter mon chiffre d'affaires de 20 %, de 30 %, de 50 % qu'est-ce que je ferais? »

«Si j'avais une semaine, une seule petite semaine pour gagner 5 000$ ou 10 000 $ ou 100 000 $ (selon votre niveau ou votre audace) que devrais-je faire?»

Faites comme si (c'est un jeu amusant et bien souvent fort lucratif) c'était vraiment une question de vie ou de mort.

Vous n'avez pas le choix.

Il FAUT que vous trouviez.

Sinon, vous vous congédiez vous-même!

Une semaine, vous avez seulement une semaine, pour trouver cet argent, je veux dire pour le gagner. Faites-le, vous m'en donnerez des nouvelles.

P.P.S.: Vous pouvez m'envoyer un chèque d'un dollar pour chaque mille dollars que vous gagnez de plus grâce à cet exercice. Je vais en tapisser les murs de mon bureau. Ça fera une œuvre d'art de plusieurs milliers de dollars, j'en suis sûr, car la méthode va vous satisfaire au-delà de toutes vos espérances.

Non seulement le millionnaire paresseux fait-il les choses les plus payantes en premier, non seulement bloque-t-il souvent dans son agenda des après-midis ou même des semaines payantes, mais chaque fois qu'il peut, (et ça devient chez lui une seconde nature!) il s'efforce de rendre chaque heure de son temps payante à plus d'un niveau...

Dans son livre *The Art of the deal*, le milliardaire Donald Trump raconte la très instructive anecdote suivante:

Un jour David Letterman filmait, dans l'atrium de son somptueux Trump Tower où ses bureaux sont établis, une journée dans la vie de deux touristes américains...

Le célèbre animateur télé l'appela pour lui demander s'il pouvait lui faire une visite impromptue.

Le célèbre magnat immobilier s'empressa de dire oui.

Cinq minutes plus tard, Letterman arrivait dans son bureau avec un cameraman et le couple de touristes et faisait une entrevue.

En bavardant avec Trump, il lui dit:

« Dites-moi la vérité, c'est vendredi après-midi, vous recevez comme ça un coup de fil, vous nous dites qu'on peut monter tout de suite. Et vous êtes là à bavarder avec nous. Vous ne devez pas avoir grand-chose à faire... »

Et Trump lui répondit, finement:

« Honnêtement, vous avez raison. Je n'ai absolument rien à faire! »

C'était une boutade bien sûr, et un homme d'affaires comme Trump qui construit des tours partout aux États-Unis, ouvre (et ferme!) des casinos, bâtit des terrains de golf et des hôtels, reçoit 1 200 appels téléphoniques par semaine (il a une bonne secrétaire, évidemment) et trouve même le temps de faire parler de lui à la télé à *The Apprentice*, a un emploi du temps fort chargé.

Pas assez pourtant pour laisser passer cette occasion de rendre une heure, ou disons peut-être une petite demi-heure, payante à plus d'un niveau, car il est un véritable millionnaire paresseux.

En fait il travaille un peu plus qu'un millionnaire paresseux, ce qui fait qu'il est devenu... milliardaire!

C'est son choix, APRÈS tout!

Alors comment au juste Trump rendait-il cette heure payante à plus d'un niveau:

1. il se faisait de la pub puisque le *Tonight Show* est écouté par des millions d'Américains tous les soirs...

Or, une grande partie du succès de Trump est basée sur sa célébrité, (qu'il cultive à foison!) puisqu'il met son propre nom sur toutes ses propriétés...

Et une des raisons pour lesquelles (outre la qualité du produit) les gens sont prêts à payer cher (plus cher même!) pour acheter ses propriétés au lieu de celles des autres promoteurs, c'est justement parce qu'elles sont associées à un nom de célébrité.

2. Trump (et c'est lui qui le dit dans son livre, pas moi!) savait que David Letterman était assez riche pour... lui acheter éventuellement un condo.

Comme ses nombreux amis riches et célèbres qu'il reçoit soir APRÈS soir à son show...

Astucieux, non?

Bien sûr, c'est déjà un grand pas en avant si vous pouvez rendre chaque heure de votre travail payante, et surtout de plus en plus payante...

Mais si vous pouvez, tentez aussi de voir comment vous pouvez faire en sorte que chaque heure de votre emploi du temps soit payante à plus d'un niveau.

En un mot, imitez Trump...

Vous ne pouvez pas vous... tromper!

CHAPITRE 14

Le millionnaire paresseux cherche toujours à payer le prix le plus bas

Le millionnaire paresseux passe régulièrement du temps à réfléchir à des manières de faire de l'argent rapidement et facilement.

Mais ça ne veut pas dire qu'il jette l'argent par les fenêtres et qu'il ne se soucie pas du prix qu'il paie pour ce qu'il achète !

Bien au contraire !

Car il est conscient qu'il n'y a jamais qu'UN SEUL PRIX.

Même dans les grands magasins.

En fait, il y a TOUJOURS différents prix.

Il y a le prix affiché, bien sûr, mais il y a aussi deux ou trois autres prix.

Dont le prix qu'est prêt à payer le millionnaire paresseux, qui est le prix le plus bas.

Je vais vous donner un exemple.

Il y a plusieurs années, quand j'ai fait l'acquisition de ma première BMW, j'ai permis à mon père d'économiser 2 800 $.

Pas parce que c'est lui qui me l'a payée !

Parce que quand je suis allé la lui montrer fièrement, il m'a dit : « Ça ferait un joli cadeau de Noël pour ta maman… » et il m'a confié le mandat d'en négocier l'achat pour lui.

Je suis retourné chez le premier concessionnaire.

Qui ne m'avait pas vendu ma première BMW.

Il ne me l'avait pas vendue parce que le vendeur qui m'avait reçu avait manqué de la plus élémentaire politesse à mon endroit.

Et aussi de psychologie.

Voici comment.

Je suis allé acheter mon auto en tenue de romancier, ce qui, dans mon cas, vous vous en souvenez est une tenue plutôt négligée : le mot est faible !

J'ai presque l'air d'un sans-abri, avec mes vêtements froissés aux couleurs peu coordonnées et ma barbe de trois jours !

On dit qu'il faut se fier à la première impression.

Encore faut-il avoir du jugement et voir rapidement à qui on a affaire, malgré la tenue vestimentaire !

Lorsque j'ai demandé au vendeur si je pouvais voir les BMW 325, il m'a fait un geste presque agacé et m'a dit : « Elles sont de ce côté. »

Je suis allé les voir, seul.

Pendant dix minutes, personne n'est venu me voir.

Alors je suis allé voir ailleurs.

Chez un autre concessionnaire, appelons-le le n° 2, qui est en fait le principal concurrent du n° 1, et j'y ai acheté ma première BMW.

Lorsque j'ai voulu acheter la BMW de ma mère, je suis retourné chez le concessionnaire n° 1, avec une idée derrière la tête.

Je ne me suis pas habillé différemment de la première fois, même si j'étais au volant de ma rutilante BMW.

Que j'ai garée bien en vue à la porte du concessionnaire.

Je suis allé trouver le gérant et je lui ai dit :

« Vous voyez la belle BMW dans votre entrée ? Eh bien, la semaine dernière, je suis venu ici en premier pour l'acheter, mais j'ai été si mal reçu que je suis allé l'acheter chez Blancbec. »

Son visage est devenu blanc.

« Mais mon père m'a demandé d'en acheter une pour ma mère, ai-je poursuivi. Et j'ai voulu vous donner une deuxième chance. Seulement il va falloir que vous me fassiez un vrai bon prix, parce que mon père est très fâché de la manière dont vous m'avez traité et c'est seulement si vous me faites un prix vraiment exceptionnel que je vais pouvoir lui expliquer pourquoi je suis revenu vous voir. »

Ils m'ont fait un prix qu'ils n'ont d'abord pas voulu mettre par écrit parce que… ça ne se fait pas !

Ça c'est fait.

Avec moi.

Parce que je leur ai expliqué que mon père était comptable et qu'il lui faudrait absolument un document écrit, qu'il ne me croirait pas sur parole, que sinon je devrais aller ailleurs. Je n'ai pas dit où, mais… ils le savaient ! Ils m'ont donc fait une soumission détaillée et écrite.

Que je ne suis pas allé montrer à mon père mais à l'autre concessionnaire.

Mais pas tout de suite.

Parce que d'abord j'ai expliqué que j'avais un vrai bon prix de leur concurrent qu'ils détestent.

Quand j'ai dit ce prix, ils ne m'ont pas cru, ils ont dit :

« C'est impossible ! », croyant que je bluffais.

J'ai insisté que je disais vrai, ils ne m'ont toujours pas cru.

Alors seulement j'ai montré la soumission écrite.

D'ailleurs il doit y avoir un fondement psychologique à l'efficacité de cette méthode. En ne montrant pas tout de suite, la soumission écrite au vendeur, je me place en position d'infériorité, je lui tends pour ainsi dire un piège, ou en tout cas je lui offre la possibilité de me croire sur parole. S'il ne me croit pas sur parole je lui montre la preuve écrite de mon honnêteté. Il se sent alors coupable et veut réparer sa faute, même si c'est à son détriment.

Mais revenons à notre gérant.

Estomaqué par la vue de la soumission écrite, il a appelé illico son rival pour l'engueuler et lui dire qu'il ne jouait pas franc-jeu, qu'il cassait les prix.

Alors j'ai su que j'avais eu un VRAI bon prix.

D'ailleurs le concessionnaire n° 2 n'a pu l'égaler.

Je suis donc retourné chez le premier concessionnaire à qui, en même temps, je donnais « noblement » la chance de se rattraper.

J'ai ainsi, en deux heures, fait économiser 2 800 $ à mon père.

Il est riche, mais il était tout de même content.

Très content.

Parce qu'il SAVAIT que pour avoir ces 2 800 $ dans ses poches, il avait dû en gagner plus de 5 000 $.

C'est parce qu'il sait ces choses, c'est parce qu'il pense ainsi, entre autres, qu'il est devenu riche.

Vous me direz que pareils stratagèmes sont de l'enfantillage, que les gens vraiment riches ne pensent pas et n'agissent pas ainsi parce qu'ils n'ont pas de temps à perdre, ou auraient honte de négocier comme des marchands de tapis…

Je ne peux pas parler pour tous les millionnaires, bien sûr, mais tous mes amis riches – et il y en a parmi eux qui valent plusieurs centaines de millions – pensent et agissent de la sorte et essaient toujours de payer le plus bas prix : le prix du millionnaire paresseux.

Et vous seriez surpris de voir à quel point ils peuvent négocier, jusqu'au dernier dollar.

C'est pour un eux état d'esprit, une habitude, un réflexe.

Par exemple le regretté Pierre Péladeau, comme il était trop connu, avait fait acheter sa première (et dernière !) Rolls Royce par son vieil ami William Hénault qui, en négociateur hors pair, avait obtenu une réduction de près de 20 000 $ du concessionnaire.

Pierre Péladeau les avait, ces 20 000 $, mais justement il aimait mieux… continuer de les avoir que de les donner à un parfait étranger !

C'est un peu la philosophie du millionnaire paresseux : être « économe » avec ceux qu'on ne connaît pas pour être généreux avec ceux qu'on connaît !

C'est parce qu'ils ne trouvent aucun plaisir particulier, ne s'enorgueillissent jamais de payer le plein prix que plusieurs millionnaires paresseux que je connais attendent souvent en novembre ou en décembre pour changer de voiture parce qu'ils savent que c'est la période de l'année où les concessionnaires veulent liquider leur inventaire pour faire place aux nouveaux modèles.

Et parfois aussi, ils n'hésiteront pas à prendre un modèle qui a servi de démonstrateur (oui, même des gens qui valent plusieurs millions !) et que le concessionnaire laisse aller avec un rabais substantiel, parfois de 25 % de la valeur d'un modèle totalement neuf, parce qu'ils sont vraiment « vendeurs » à ce moment, ils sont des vendeurs « motivés », comme on dit en immobilier, ce que recherche constamment un millionnaire paresseux lorsque vient le temps d'acheter.

Modestie intelligente, il me semble !

Modestie de millionnaire paresseux !

Pensez à ces astuces, dans votre vie, et dans vos négociations.

N'hésitez jamais à demander si on peut vous faire un meilleur prix.

La concurrence est tellement féroce de nos jours que la plupart des commerçants accordent un rabais... À CONDITION QU'ON LE LEUR DEMANDE !

Moi je ne me gêne jamais pour en demander un.

En fait, je le demande S-Y-S-T-É-M-A-T-I-Q-U-E-M-E-N-T !

C'est devenu une seconde nature.

Je n'aime pas payer le plein prix.

À la vérité, je n'ai pas vraiment de mérite, parce que, mes revenus ont beau augmenter d'année en année, et ma situation être très confortable, JE TROUVE TOUT TROP CHER !

Je vais même vous faire un aveu : ça me rend plus nerveux, et en tout cas ça m'excite certainement moins d'acheter une veste de 500 $ qu'une maison de... 150 000 $!

Surtout si... elle en vaut 175 000 $!

C'est peut-être une sorte de folie, de déformation d'investisseur ou de millionnaire paresseux mais c'est ainsi...

D'ailleurs, puisque j'y pense, je réalise que ça fait plus de 10 ans que je n'ai pas acheté une nouvelle veste ! Bon, d'accord, je sais, ça se voit, et vous vouliez justement m'en parler !

Payer le plein prix, c'est facile.

N'importe quel imbécile le peut !

Moi, je veux un prix de millionnaire paresseux.

Je ne dis pas que je l'obtiens toujours, mais au moins j'essaie de l'obtenir.

Certains m'objecteront qu'ils n'ont pas le temps de faire du shopping, de marchander, parce qu'ils sont trop occupés.

Moi je dis que justement s'ils n'acceptaient pas de toujours payer le plein prix, ils ne seraient pas obligés de travailler aussi dur et ils auraient plus de temps libre pour... marchander!

Moi, en tout cas, je trouve toujours le temps de le faire.

Et surtout, je ne vois pas le plaisir qu'on peut trouver à jeter son argent par les fenêtres...

Je ne dois pas être encore assez riche!

Je me permets cependant d'ajouter que ce n'est certainement pas en se moquant de payer constamment le plein prix qu'on devient riche plus rapidement!

Certains gens marchandent, il est vrai, mais ils oublient parfois de le faire pour les choses vraiment importantes.

Ils parviennent à obtenir un rabais de 5$ sur un vêtement légèrement endommagé, ce qui est louable en soi mais... ils n'osent pas demander une diminution de ¼ ou de 1% pour un emprunt hypothécaire de 100 000$ qui leur ferait épargner des milliers de dollars parce qu'ils croient que les banques ont un seul taux. Ce sont des marchands comme les autres, et ils n'ont pas un seul prix.

Tentez toujours de garder à l'esprit que les 100$ par mois que vous économisez, par exemple sur une hypothèque bien négociée, ou prise sur un terme plus court, représentent plus que vous ne croyez.

Ils représentent souvent près du double avant impôts.

Pas si vous gagnez 24 000$ par année, bien sûr, mais si vous en gagnez 48 000$ ou 72 000$ vous vous approchez du double, sauf évidemment si vous vivez en Suisse, à Monaco ou dans un pays où le «régime» n'amaigrit pas trop les contribuables.

Et alors cette petite économie de 100$ qui a l'air dérisoire, et qui représente 200$ avant impôts et taxes diverses, représente 2 400$ par année de votre salaire.

Si vous gagnez 72 000$ par année, ces 2 400$ représentent 3% de votre salaire. Vu comme ça, ça commence à faire beaucoup, non?

Ajoutez ainsi 4 ou 5 postes d'économies ou de dépenses de 3 % et vous arrivez à un pourcentage considérable de votre salaire avant impôts. Ceux qui ne pensent jamais à ces détails (qui n'en sont pas !) finissent toujours par « ne pas arriver », comme on dit et se demandent toujours comment ça se fait.

En affaires on dit souvent que, parfois, faire un bon « deal », c'est… DE NE PAS FAIRE DE DEAL !

C'est souvent la même chose avec les achats, surtout les achats importants.

L'autre jour, un courtier en assurance voulait me vendre une assurance vie d'un million qui ne me coûterait que… 250 $ par mois pendant 10 ans ! Quand je lui ai dit que je trouvais ça cher, il m'a dit, croyant me faire fléchir en me flattant :

« Qu'est-ce que c'est, 250 $ par mois, pour quelqu'un qui comme vous conduit une BMW (il s'était déplacé chez moi pour me faire signer) ?

– C'est justement parce que je trouve ça cher que… je peux conduire une BMW ! »

En principe, je ne suis pas contre l'assurance vie et je sais qu'il existe des plans bien plus avantageux (enfin pour moi, pas pour la compagnie !) que celui que ce jeune courtier me proposait, des plans où il vous reste quelque chose à la fin, où votre protection est assortie à de l'épargne.

Mais finalement, je n'ai pas signé : je suis tellement habitué, tellement « mindé » à faire des bons « deals », que je me suis dit que si je signais ce contrat, je signerais en même temps mon… arrêt de mort !

Parce que je ne pourrais m'empêcher de mourir juste pour… toucher le million !

Le millionnaire paresseux magasine S-Y-S-T-É-M-A-T-I-Q-U-E-M-E-N-T, non seulement en affaires où il cherche constamment à obtenir le meilleur prix pour le meilleur service ou le meilleur produit, mais aussi dans sa vie personnelle : pour ses assurances (maison, auto, vie) pour ses services téléphoniques, Internet, câble télé…

En somme, au lieu de magasiner comme tous les gens pour dépenser leur argent, s'endetter et s'appauvrir, déplacez votre manie et faites comme les millionnaires paresseux: magasinez pour obtenir des rabais à long terme!

Et si cela vous donne mauvaise conscience de marchander ainsi, de négocier constamment, eh bien, offrez les économies que vous aurez réalisées à des œuvres de charité!

Chapitre 15

Le millionnaire paresseux traque les petites dépenses invisibles

La semaine dernière, au dépanneur du coin, je suis resté surpris, quand Michel, le patron, a demandé 8 $ à une cliente qui voulait un paquet de cigarettes…

Je n'ai jamais fumé, n'en ayant ni… les moyens ni la santé !

« 8 $, c'est quand même de l'argent ! » ai-je laissé tomber quand la cliente eut quitté, cigarettes en main.

« Il y a un couple qui venait ici tous les matins et qui achetait 2 paquets parce que chacun en fumait 1 par jour, a surenchéri Michel.

– Ils ne viennent plus ?

– Non, ils viennent encore, mais ils ont arrêté de fumer depuis un an ! »

Une sage décision, ai-je pensé, *qui leur a fait épargner, 480 $ par mois.*

Oui, 30 fois 16 $ = 480 $

480 $ par mois, c'est un paiement de voiture, ou une (petite) hypothèque…

« Tiens, m'annonce mon ami le patron du dépanneur, les voici d'ailleurs qui arrivent comme par hasard. Quand on parle du loup… » Ils me reconnaissent. Et s'empressent de me féliciter pour mes livres, qu'ils adorent, et me disent :

«Nous aimerions investir dans l'immobilier, comme vous le suggérez, seulement nous n'avons pas d'argent, avez-vous un truc à nous suggérer?

– Mais vous avez arrêté de fumer il y a un an…

– Comment savez-vous ça?

– C'est Michel qui me l'a dit.

– Ah…

– Alors comme il vous en coûtait environ 16$ par jour, vous avez économisé 480$ par mois et donc grosso modo 5 000$. Avec ces 5 000$ vous pouvez fort bien acheter une petite propriété en utilisant les techniques de financement astucieuses que je suggère.

– Mais nous ne les avons pas, les 5000$!»

Je m'en doutais, je voulais juste vérifier.

Les 5 000$ qu'ils n'ont pas dépensés en cessant de fumer, ils se sont volatilisés, ils se sont… envolés en fumée sans qu'ils s'en rendent compte!

C'est comme un jeu de vases communicants.

Ou une rivière dont on a détourné le cours, mais qui coule quand même: seulement, dans une autre direction!

Et elle coule dans une autre direction, parce qu'elle suit une autre des lois de Parkinson qui dit:

«LES DÉPENSES AUGMENTENT TOUJOURS
EN PROPORTION DIRECTE DES REVENUS.»

C'est bête mais c'est ainsi!

Pensez à votre propre exemple…

Jeune, vous aviez un petit salaire, une petite auto et un petit appartement.

Maintenant, si vous avez «réussi», comme on dit, vous avez un plus gros salaire, une plus grosse auto et un plus gros appartement ou une maison.

Mais parce que vous avez un plus gros salaire, vous payez plus d'impôts.

Parce que vous avez un plus gros salaire, les compagnies de crédit se sont empressées de vous donner une limite de crédit plus élevée, que vous avez utilisée, comme vous avez utilisé la marge de crédit qu'a mise à votre disposition la banque… parce que vous aviez un plus gros salaire !

Résultat, vous êtes probablement plus endetté, et donc plus pauvre que lorsque vous aviez un petit salaire !

Ironique, non ?

Oui, comme la plupart des gens (exception faite des millionnaires paresseux !) les ex-fumeurs du dépanneur ont supprimé une dépense (d'ailleurs inutile et nocive) pour la remplacer par une autre dépense, si bien qu'ils ont perdu la trace des 5 000 $ que leur coûtait et que ne leur coûte plus le tabagisme.

5 000 $ par année en cigarettes…

C'est quand même de l'argent…

Bon, me direz-vous, ce n'est pas tout le monde qui fume, et qui dépense 400 $ par mois en cigarettes…

Je sais, mais si vous analysiez vos autres dépenses mensuelles, vous vous rendriez compte qu'elles sont pleines de petite « fuites » invisibles…

Voici un autre exemple :

Mon ami Michel du dépanneur – encore lui ! – m'a dit que bien des gens achetaient pour 20 $ de billets de loterie toutes les semaines : ça fait 80 $ par mois, donc près de 1 000 $ par année, qui en général ne rapportent rien : ce qui explique les profits faramineux de toutes les loteries du monde !

Et souvent, m'a-t-il aussi dit, quand il rend la monnaie et que ça représente 2 $ ou 3 $, les clients disent : « Donne-moi donc un billet de loterie à la place… »

D'autres petites dépenses invisibles…

D'autres exemples de ces petites dépenses quotidiennes qui n'ont l'air de rien et qui pourtant ont des conséquences importantes, avec le temps…

Pour être en santé, il faut boire de l'eau, beaucoup d'eau. Depuis plusieurs années, j'achetais ce litre d'eau religieusement au dépanneur du coin, et je le payais 1,50 $, un bon investissement pour ma santé.

(Soit dit en passant, on trouve l'essence chère alors qu'on la paie beaucoup moins cher que l'eau puisqu'un litre d'essence se vend autour d'un dollar) !

Donc mon litre d'eau par jour me coûtait 45 $ par mois.

Ma femme faisait la même chose, ce qui nous coûtait donc environ 100 $ par mois.

Puis je me suis rendu compte qu'en investissant 150 $ dans une distributrice maison, il ne m'en coûterait que 5 $ pour un contenant de… 18 litres !

18 litres qui me coûtaient avant 27 $ et qui me coûtent maintenant 5 $…

En plus, c'est meilleur pour l'environnement car je réutilise la même bouteille de plastique que je remplis moi-même le matin !

Avantage supplémentaire.

Il y a plusieurs années, à la fin d'une année financière, mon comptable a rendu visible pour moi une autre de mes dépenses « invisibles » en me posant la question suivante : « Sais-tu combien tu as dépensé en contraventions cette année ? »

– Euh non…

– 2 100 $»

J'en suis resté estomaqué.

2 100 $

C'est de l'argent…

C'est que j'avais, à une époque de ma vie, la mauvaise habitude de croire trop en ma chance (un travers parfois des millionnaires paresseux !), et de me dire que je n'écoperais jamais de contraventions : si bien que je ne payais jamais pour un parking ni ne mettais d'argent dans un parcomètre.

Résultat de mon insouciance imbécile : au moins deux fois par mois, j'avais une contravention. La contravention était seulement de 30 $ en général, mais comme je négligeais stupidement de la payer dans les délais requis, elle montait, avec les pénalités et les frais administratifs, à la somme faramineuse de 85 $.

Alors je la payais.

Deux fois par mois, en moyenne, ça fait 170 $

Multiplié par 12, ça fait 2 040 $...

Bien sûr, c'est ma compagnie qui payait pour ces contraventions, (nous verrons dans un chapitre ultérieur les avantages d'avoir sa propre compagnie), mais quand même c'était de l'incurie ruineuse !

À partir de ce jour, j'ai commencé, bien entendu, à mettre des sous dans les parcomètres et à utiliser les parkings payants.

Ça me coûte des sous bien entendu, mais beaucoup mois que 2 040 $ par année...

Examinez aussi vos cartes de crédit.

Si vous devez 10 000 $ à 18 %, taux quasi « usuraire » que pratiquent légalement la plupart des compagnies, vous dépensez 1 800 $.

En outre, pour payer ces 1 800 $, vous devrez avoir gagné grosso modo le double, donc 3 600 $...

Peut-être pourriez-vous penser à une petite consolidation de votre dette avec votre banque qui pourrait vous consentir une marge de crédit à 8 %. Voilà 1 000 $ précieux économisés...

Je sais, je peux passer pour un maniaque à vos yeux, en faisant pareils calculs...

Ces économies peuvent avoir l'air d'économies de bouts de chandelles, comme on dit, et pourtant, en les multipliant, elles ont à long terme un effet spectaculaire...

Prenez-en conscience dans votre propre vie et voyez ce que vous pouvez économiser sans vraiment vous priver.

Voyons maintenant comment vous pouvez commencer, grâce à ces économies invisibles, à vous mettre de côté un magot... bien visible !

Chapitre 16

Le millionnaire paresseux épargne sans souffrir !

Prenez des poissons rouges et mettez-les dans un étang.

Des poissons rouges qui ont à peu près la même taille.

J'ai bien dit : à peu près.

La nuance est capitale, vous allez voir...

Vous allez voir parce que si vous laissez passer quelques mois, disons quelques beaux mois chauds d'été, vous allez constater, en retrouvant vos poissons rouges, à l'automne, un phénomène étonnant...

Étonnant seulement parce que vous ne connaissez pas encore la loi que je vais vous révéler illico...

Oui, vous allez vous rendre compte que, même si, au départ, tous les poissons rouges étaient à peu près de la même taille, ceux qui étaient juste... un petit peu plus gros sont devenus MONSTRUEUSEMENT GROS en comparaison de leurs pairs.

Qui ne sont plus leurs pairs.

Et pourquoi ?

Parce que cette infime différence de taille, signifie qu'ils pouvaient nager un peu plus vite que leurs camarades.

Et elle signifie aussi qu'ils avaient une bouche un peu plus grande...

Et ces deux petits avantages combinés leur ont permis de consommer une quantité phénoménalement plus élevée de nourriture que leurs rivaux, dans la course de la vie...

Et voilà pourquoi ils sont devenus si gros !

Et c'est pourquoi vous ne devriez jamais négliger les petits gains, les petits investissements, les petites économies que vous faites quotidiennement, parce qu'avec les mois, les années, elles font de vous le plus gros poisson de l'étang !

Ou en tout cas un bien plus gros poisson que ceux qui ne le font pas.

Évidemment, plus vous commencez tôt dans votre vie, à mettre en pratique les vertus de l'épargne, (et de l'investissement, bien sûr !), plus vous vous libérerez rapidement de la tyrannie du travail et deviendrez un millionnaire paresseux.

Rappelez-vous qu'il n'est pour ainsi dire jamais trop tard pour commencer.

Pourquoi ?

Parce que, dans la plupart des pays civilisés, la longévité augmente à chaque année.

Alors même si vous commencez à épargner à 40 ou 50 ans, c'est encore excellent parce que vous risquez de vivre jusqu'à 80 ou 90 ans et serez peut-être centenaire.

Ceux qui ont 20 ans aujourd'hui vivront probablement jusqu'à 100 ans et ceux qui sont nés en 2006 jusqu'à 125 ans !

Avec cette nuance, me dois-je d'ajouter, que si l'obésité et le sédentarisme continuent de sévir dans la nouvelle génération, elle vivra peut-être moins longtemps que la nôtre !

Ce qui pourrait à première vue arranger les gouvernements, qui n'auront pas à verser bien longtemps les pensions de vieillesse… Mais il y a un « mais », et il est de (forte) taille, c'est le cas de le dire. Parce que l'obésité cause presque la moitié de toutes les maladies (diabète, maladies cardiaques, cancers, rhumatismes, AVC, etc.) et fera par conséquent exploser les coûts des soins de santé. Belle quadrature du cercle pour les gouvernements qui perdent des deux côtés !

Mais revenons à notre scénario plus optimiste, dans lequel les gens, soudain frappés par le bon sens de manger moins et de faire plus d'exercice, vivront vieux.

Comment pareille longévité sera-t-elle rendue possible ?

Grâce aux progrès de la médecine et de la technologie, qui pourront tout remplacer de votre corps!

Le cœur, les reins, les yeux, les cheveux, la peau, les hanches: on les remplace déjà.

Mais on ira beaucoup plus loin.

On remplacera vos membres, vos organes sexuels, dont le principal, qui est votre le cerveau.

On vous insérera dans un de ses lobes un chip qui vous donnera autant de mémoire que le plus puissant ordinateur du monde!

On vous insérera un autre chip qui vous débarrassera des tremblements de la maladie de Parkinson (c'est déjà inventé d'ailleurs).

On vous greffera une petite usine à distiller de manière permanente des anticorps pour prévenir les assauts du cancer en détruisant les cellules précancéreuses...

On vous greffera aussi une petite usine «prozacienne» qui régularisera vos humeurs...

Une autre qui combattra le mauvais cholestérol, éclaircira quotidiennement votre sang comme les usines de filtration purifient l'eau que vous buvez...

On vous greffera, (ou vous porterez au poignet) un ordinateur qui contrôlera constamment votre rythme cardiaque, votre tension artérielle, l'état de vos artères et de vos organes et qui sera en réseau avec votre médecin, que vous ne verrez pour ainsi dire plus, car il saura tout de vous et de votre état de santé à distance...

À la vérité, si vous vous appelez Indiana Jones, vous ne serez plus, rendu à un certain âge (avancé) que... la mémoire d'Indiana Jones!

On aura remplacé en vous à peu près tout ce avec quoi vous êtes né. Sauf peut-être votre code génétique que, du reste, on aura peut-être modifié à votre demande... ou à celle de votre conjointe qui souhaite un meilleur héritage génétique pour sa progéniture!

(Pour en savoir plus sur ce scénario futuriste fascinant, voir *Brève histoire du futur* par Eirik Newth).

Seulement voilà.

Ces changements coûteront de l'argent.

Beaucoup d'argent.

Ceux qui ne voudront pas mourir devront... payer!

De leur poche.

D'ailleurs, c'est déjà commencé.

C'est ce qu'on appelle la médecine à deux vitesses.

Aimable euphémisme qui cache ce qu'elle est vraiment et sera de plus en plus avec le temps: la médecine à deux budgets!

Que feront ceux qui ne sont pas des millionnaires paresseux, ou des millionnaires ordinaires, ou à tout le moins des gens «en moyens», comme on dit?

Je me le demande.

C'est à vous, et non pas au gouvernement qui est déjà endetté jusqu'au cou, de prendre les mesures nécessaires pour protéger votre avenir.

Et de le faire à un âge où vous êtes assez énergique, et imaginatif, et astucieux pour générer suffisamment de revenus pour investir et épargner.

Certains, je le sais, au lieu de faire des efforts pour augmenter leurs revenus, pour tenter d'atteindre le plus tôt possible l'indépendance financière, cède plutôt à ce courant assez populaire qu'on appelle la simplicité volontaire.

Pour dire la chose en un mot, ils préfèrent se serrer la ceinture, limiter leurs dépenses, «downsizer», comme on dit en bon français, plutôt que de travailler plus dur à tenter de faire de gros revenus.

J'entendais même à la télé, hier, une jeune quadragénaire célibataire qui vivait, par choix, dans un petit un et demi et se vantait de travailler à temps partiel pour pouvoir profiter de la vie. Bravo, mais quand elle aura 60 ans, quand elle aura 70 ans, et qu'elle sera peut-être malade, et qu'elle aura peut-être perdu son emploi à temps partiel, et qu'elle n'aura forcément rien mis de côté, trouvera-t-elle sa situation encore géniale, s'en vantera-t-elle ou plutôt ne regrettera-t-elle pas amèrement son incurie de jeunesse? Pourra-t-elle encore «profiter de la vie» ou n'en sera-t-elle pas réduite à vivre aux crochets d'un État de moins en moins généreux?

Dans le jeu de l'argent, il y a deux choses: la défensive et l'attaque.

La défensive, c'est l'épargne, c'est de vivre au-dessous de ses moyens...

Au baseball, on dit: « Pitching is the name of the game... »

Si tu n'as pas un bon lanceur, tu ne peux pas gagner.

Même chose au hockey: nulle équipe ne peut aspirer aux plus grands honneurs, je veux dire gagner la coupe Stanley, si elle n'a pas un grand gardien de buts.

Tu as beau marquer 5 buts, si ton gardien en laisse passer 6, tu perds quand même...

C'est la même chose avec l'argent: même si tu gagnes 300 000 $, si tu en dépenses 400 000 $, tu as un problème!

C'est ça le problème avec la simplicité volontaire.

La défense est formidable, mais l'attaque est déficiente.

On peut, je sais, restreindre ses besoins (surtout ceux qui sont artificiels), ne pas avoir de voiture luxueuse ou de voiture du tout, sacrifier sa résidence secondaire, réduire au minimum sa résidence principale, (comme la jeune quadragénaire de mon exemple) supprimer les restaurants, les beaux vêtements, le golf, les voyages, les « folies » de tout acabit...

On peut, en un mot, se montrer hyper défensif.

Mais le choix de la simplicité volontaire veut aussi dire, hélas, renoncer presque ipso facto à jamais prendre des vacances exotiques, pouvoir s'acheter une Nikon, voir un show sur Broadway, visiter Tokyo, Venise, Rio de Janeiro ou Moscou...

Et c'est un peu dommage, non?

Votre petit patelin est joli, et vous y trouvez « tout », comme vous dites, mais tout de même...

Mais ce qui m'inquiète surtout dans cette philosophie, ce sont ses conséquences à long terme: comme vous utilisez chaque dollar pour vivre ou « survivre », vous n'avez rien pu mettre de côté, ou alors là très peu.

Woody Allen a dit: « L'éternité, c'est long, surtout vers la fin... »

Je crois que les adeptes de la simplicité volontaire devront dire, à leur tour, dans le dernier droit de leur vie: « La retraite, c'est long... surtout vers la fin! »

Surtout si elle dure 20, ou 30 ou même 40 ans et que les pensions de vieillesse rétrécissent comme une peau de chagrin.

Le millionnaire paresseux, lui, cherche constamment à travailler sa défensive ET son attaque, main dans la main, si je puis dire.

Il est particulièrement attentif, dans sa défensive, aux vertus étonnantes de l'épargne...

Je bavardais récemment avec un ami de longue date qui a un gros problème... de poids!

Je lui ai dit: « Maurice, tu devrais voir les choses ainsi. La vie est souffrance, comme disent les bouddhistes. Mais c'est une bonne nouvelle, si tu y penses comme il faut.

– Hein?

– Oui, et je vais t'expliquer pourquoi.

– Je t'écoute.

– Tu sais que tu vas souffrir d'une façon ou d'une autre. Mais justement tu as le choix de la manière et de la date.

– Hein?

– Oui, c'est simple, c'est même mathématique... Tu peux choisir de souffrir tout de suite, en t'imposant une diète et en faisant de l'exercice. Ou tu peux choisir de souffrir plus tard, mais sans pouvoir choisir le moment exact, en continuant de faire ce que tu fais et en tombant inévitablement malade. Et de surcroît, ça risque de faire mal, beaucoup plus mal. Penses-y. C'est ton choix. »

L'épargne hâtive et constante, l'investissement, c'est l'hygiène du millionnaire paresseux, c'est sa diète, sa gymnastique quotidienne. C'est sa souffrance volontaire pour s'assurer de ne pas souffrir plus tard, pour rester en santé financière.

Bon, je sais, il y en a qui disent: « Moi, je ne veux rien savoir d'épargner, c'est bon pour les peureux et les vieux. Je veux vivre le moment présent, en profiter, tout dépenser ce que je gagne. D'ailleurs, je vais peut-être me faire tuer en traversant la rue dans trois ans alors à quoi bon me priver! »

Le problème, c'est... qu'ils ne se font pas tuer dans trois ans! Ils survivent à... leur jeunesse!

Ça me fait penser aux gens qui fument.

Vous leur dites (et ils l'ont déjà entendu mille fois) : « Vous ne devriez pas fumer, c'est mauvais pour vos poumons, votre cœur, et c'est prouvé que ça donne le cancer.

– Mon grand-père fumait et il est mort à 95 ans !

– Mais chaque année des milliers de gens meurent des causes du tabagisme bien avant d'avoir atteint 90 ans, et même la fumée secondaire est dangereuse.

– Bah, il faut bien mourir de quelque chose de toute manière ! »

Je suis d'accord avec eux.

Il faut mourir de quelque chose.

Mais ce que ces gens oublient c'est que, souvent, les dix ou quinze dernières années de leur vie, ils vont souffrir d'emphysème, ou bien ils subiront une ablation du larynx, pour cause de cancer, et vont avoir un trou dans la gorge pour pouvoir émettre le filet de voix qui leur reste.

Et alors ils vont peut-être se trouver un peu moins intelligents : ils ont oublié que mourir de quelque chose, c'est une chose, une chose d'ailleurs inévitable, mais être malade dix ou quinze ans, parce qu'ils ont fumé comme une cheminée, c'en est une autre qui, elle, aurait pu être évitable et qui n'est certainement pas très agréable.

C'est parce qu'il s'est tenu des raisonnements similaires que le millionnaire paresseux se discipline, soigne sa défensive, investit, épargne…

Mais, me direz-vous, surtout si vous vivez au Japon où le loyer même de l'argent ne dépasse pas 1 % depuis des années, les taux d'intérêt sont bas…

N'empêche, une banque de mon voisinage, offrait, la semaine dernière, donc à la fin de 2005, le programme suivant :

« un taux d'intérêt de 7, 5 %, ce qui est plutôt alléchant ces temps-ci, à condition que vous déposiez toutes les deux semaines une somme fixe pendant au moins 5 ans. »

Le dépliant publicitaire donnait l'exemple que voici :

En déposant toutes les deux semaines 50 $, vous obtenez au bout de :

5 ans : 7 749 $;

10 ans : 18 617 $;

15 ans : 33 860 $;

20 ans : 55 239 $.

Bon, c'est peu et ça prend du temps, je sais...

Ce n'est pas le placement du siècle !

Et en tout cas ça n'a rien à voir avec les 1 000 $ US que vous auriez placés, en 1965, dans Berkshire Hathaway Inc., la société fondée par Warren Buffet, le deuxième homme le plus riche des États-Unis : ces 1 000 $ vaudraient en effet aujourd'hui, en 2006, l'incroyable somme de 5 500 000 $!

Oui, plus de 5 millions, il n'y a pas d'erreur, vous avez bien lu !

D'ailleurs, au cours des 10 dernières années seulement, les actions de Berkshire ont triplé.

Remarquez, je vous conseillerais bien d'en acheter, mais elles sont maintenant un peu plus difficiles à acquérir pour le petit investisseur, car elles se transigent environ à 90 000 $ US l'unité !

Mais revenons à nos (modestes) moutons.

Avec 55 239 $, me direz-vous, on ne va pas loin, et d'ailleurs que vaudront 55 239 $ dans 20 ans, donc en « dollars » de 2025, vu l'inflation !

Moins, beaucoup moins qu'aujourd'hui, je sais...

Vous avez un bon point !

Oui, je n'en disconviens pas, 55 000 $ c'est peu, ce n'est pas le Pérou !

Et pourtant, tous les millionnaires paresseux que je connais ont fait preuve, du moins à leurs débuts, et souvent pendant des années, de frugalité et de prévoyance, vivant bien au-dessous de leurs moyens, et épargnant d'une manière ou d'une autre.

Tout le monde peut dépenser tout ce qu'il gagne.

En fait, la plupart des gens dépensent PLUS qu'ils ne gagnent.

Et c'est pour cette raison et non parce qu'ils ne gagnent pas assez qu'ils ont des problèmes financiers.

Et ce, même s'ils gagnent 100 000 $ ou 300 000 $ par année !

Et c'est pour cette raison qu'on lit souvent dans les journaux ces histoires d'artistes qui, après avoir été riches et célèbres, se retrouvent ruinés, comme Michael Jackson qui, lisais-je la semaine dernière, serait au bord de la faillite parce qu'il dépenserait, chaque année, 20 à 30 millions de plus qu'il ne gagne.

Honnêtement et malgré tout le respect que son immense talent inspire, je trouve cela pitoyable.

Et je trouve encore plus déplorable que pareille icône serve de modèle à notre jeunesse.

Si pendant leurs années de gloire, Michael Jackson (qui a vendu plus de 40 millions de copies de Thriller) et bien d'autres artistes insouciants et trop dépensiers avaient contrôlé un tant soit peu leurs dépenses, s'ils avaient économisé ne serait-ce que 15 % de leurs revenus mirobolants, comme les millionnaires paresseux le font systématiquement, ils n'en seraient pas là, acculés à la faillite ou, quasiment réduits à la mendicité.

Il est vrai que certains artistes ont parfois préféré laisser leur gérant s'occuper de leurs affaires.

Avec les résultats que l'on sait !

Le millionnaire paresseux, même artiste, et même s'il a des conseillers financiers et un gérant, s'occupe lui-même de ses affaires, en tout cas y veille.

Il sait que même s'il n'est pas le plus grand financier ou comptable du monde, et qu'il fait occasionnellement des erreurs, il ne fera pas celle de... se voler lui-même !

En contrôlant ses dépenses, en supprimant les dépenses inutiles, en dépensant constamment moins qu'il ne gagne, le millionnaire paresseux se libère peu à peu de la tyrannie du travail tandis que les autres sont forcés de travailler quasiment jusqu'à leur mort, ce qui d'ailleurs les fait souvent mourir avant leur temps !

Mais je vous entends encore : 55 000 $ au bout de 20 ans, ce n'est pas assez...

Je vous prends au mot : au lieu de 50 $, mettez de côté 150 $ toutes les deux semaines. Et voyez ce que ça donne...

5 ans : 23 534 $;

10 ans: 57 320$;

15 ans: 105 825$;

20 ans: 175 459$.

175 000$…

C'est mieux…

C'est encore peu, me direz-vous, mais c'est souvent plus que le montant d'épargne avec lequel bien des gens prennent leur retraite, une personne sur deux en Amérique, en vérité…

Bon, je sais, vous me direz aussi que vous arrivez déjà juste, que même vous n'arrivez pas et que par conséquent, vous n'avez pas les 50$ et encore moins les 150$ par deux semaines que demande ce programme.

Pour déjouer cette objection qui n'est pas vraiment sérieuse, vous pourriez recourir à la technique du saucisson.

Qu'est-ce que la technique du saucisson?

C'est une méthode de gestion du temps qui suggère, quand on est dépassé par la lourdeur appréhendée d'une tâche, de la diviser en petites tranches, comme on ferait avec un saucisson.

C'est efficace, vous allez voir.

Parce que si je vous demande:

« Êtes-vous capable de mettre de côté 300$ par mois, vous répondrez probablement non, c'est beaucoup trop, vous n'y pensez pas! »

Mais si je vous demande:

« Êtes-vous capable de mettre 10$ de côté par jour, vous me répondrez probablement, oui, évidemment, c'est facile: 10$ ce n'est rien! »

Dix dollars par jour, qu'est-ce que c'est si on s'arrête à y penser?

Un verre de vin bien ordinaire dans un restaurant, un verre de 7$…

Avec les taxes et le pourboire, on laisse bien souvent 10$ sur le comptoir surtout si la serveuse est gentille, lisez: jolie, bien entendu.

10$…

Justement les 10$ dont vous avez besoin tous les jours…

Oui, ces 10$ par jour, la plupart des gens les ont…

Ils ont en tout cas, pour la plupart, les 50 $ à toutes les 2 semaines, donc les 100 $ par mois pour souscrire au programme dont je viens de vous parler.

Vous aussi, vous les avez.

Si du moins vous êtes dans la moyenne nord-américaine, en termes de revenus et d'habitudes de consommateur...

100 $ par mois, c'est souvent un repas au restaurant, un repas que vous pourriez faire sauter : vous n'en mourrez pas ! Et votre taille s'en portera probablement mieux...

100 $, c'est 6 ou 7 bouteilles de vin par mois, si vous en buvez déjà une par jour avec votre conjoint, comme je l'ai fait pendant des années avec ma femme, il vous restera 23 ou 24 bouteilles par mois, ça passera inaperçu : et ce sera juste meilleur pour votre foie et votre ligne !

Et puis pensez à toutes les dépenses invisibles que nous avons déterminées dans le chapitre précédent et que vous pourriez éliminer pour vous mettre à épargner...

Si épargner vous semble ennuyeux, vous semble une attitude de poltron, voyez-le un peu comme le jogging.

Quand on voit les gens jogger, on se demande souvent pourquoi ils joggent : ils sont si minces ! (Moi, je ne me le demande pas parce que je jogge depuis l'âge de 16 ans, sans avoir jamais passé une semaine, même malade) !

La réponse bien entendu est qu'ils sont si minces parce que, justement... ils joggent !

De même bien des gens se demandent comment il se fait que les millionnaires paresseux épargnent, puisqu'ils sont... millionnaires !

Et bien c'est justement parce qu'ils ont épargné et investi (souvent de bonne heure dans leur vie !) qu'ils sont devenus riches et qu'ils continuent à l'être encore plus !

Comme les poissons rouges qui, au départ, étaient juste un peu plus gros, avaient juste un petit avantage sur les autres, et sont devenus démesurément plus gros !

Toutes les semaines, tous les mois en tout cas, vous payez factures, comptes, impôts fonciers, taxes diverses.

Mais vous ne vous payez pas vous-même, comme on dit en langage financier.

Le millionnaire paresseux le fait toujours.

IL SE PAIE EN PREMIER.

Imitez-le.

Faites même ce que recommandent tous les millionnaires paresseux à leurs jeunes – et moins jeunes – disciples : mettez 15 % de votre salaire avant impôts de côté, en le prélevant (ou le faisant prélever) directement sur votre chèque de paie.

Ainsi, vous serez assuré (c'est d'ailleurs une assurance !) de vivre en-dessous de vos moyens, au lieu de vivre au-dessus de vos moyens, comme est capable de le faire le premier venu.

Si, en plus, comme dans notre système fiscal, une partie des 15 % de ces dollars épargnés « de force » vous permet de souscrire à un programme d'épargne-retraite, et donc est déductible d'impôts, c'est encore mieux, bien entendu !

Ce qui est important à retenir, c'est que… vous n'en souffrirez pas !

VOUS NE VOUS RENDREZ MÊME PAS COMPTE QUE VOUS AVEZ MOINS D'ARGENT DISPONIBLE : vous l'auriez de toute manière dépensé ailleurs !

En fait, vous vous sentirez petit à petit beaucoup mieux.

Comme si vous vous étiez mis au régime simplement en ingérant 300 calories, oui, seulement 300 petites calories de moins par jour, un morceau de gâteau, en somme, une bière ou un sac de chips !

Mais voyez les provisions de… minceur que vous aurez à la fin de l'année !

Vous vous sentirez mieux parce que, petit à petit, sans même vous en rendre compte, vous vous constituerez :

1. un petit coussin (gonflable !) en cas de coups durs : maladie, perte d'emploi, divorce, récession…
2. le capital dont vous avez besoin pour démarrer une entreprise ou faire un investissement.
3. une pension pour vos vieux jours et rendre votre retraite plus dorée…

4. les 15 000 $ ou 30 000 $ pour faire ce grand voyage dont vous avez toujours rêvé et que vous n'auriez pu faire autrement

Pour pouvoir être indépendant financièrement et mener une vie sympathique, disons que vous avez besoin d'avoir 3 millions.

Chaque dollar que vous gagnez et qui reste à vous (donc après impôts!), chaque dollar que vous épargnez, c'est un dollar que vous pourrez de toute manière dépenser plus tard, à votre convenance...

C'est un dollar que vous pourrez investir, et qui par conséquent fructifiera, se multipliera.

Mais mieux encore, chaque dollar épargné ou investi sagement est une unité de liberté...

Une unité de liberté qui vous rapproche des 3 millions d'unités dont vous avez besoin pour être libre pour le reste de votre vie!

Et comme vous voulez que le reste de votre vie commence le plus tôt possible, commencez le plus tôt possible à épargner et à investir!

Sans bien entendu devenir maniaque ou mesquin, par exemple en lésinant sur les pourboires au restaurant...

Vous ne passeriez plus pour un millionnaire paresseux mais pour un vieux grippe-sou, comme il y en a trop hélas!

Chapitre 17

Le millionnaire paresseux aime le travail… des autres!

Le succès, dit-on, ne se fait jamais seul.

La fortune, non plus.

Peu de gens, en effet, sont devenus millionnaires seuls.

Même dans les métiers relativement solitaires, il faut de l'aide.

Un artiste a un imprésario, un auteur un agent.

Andrew Carnegie, un des hommes les plus riches du monde à son époque, fit écrire, sur sa pierre tombale, ces mots:

« Ci-gît, un homme qui eut l'intelligence de faire travailler pour lui des hommes plus intelligents que lui. »

Il déléguait.

Intelligemment.

Donc à des gens intelligents.

Plus intelligents que lui?

Ce n'est pas sûr, car il ne devait pas être bête, ce coriace Écossais, et justement assez fin pour prétendre faire travailler pour lui des gens plus intelligents que lui.

Mais certainement n'embauchait-il pas des imbéciles ou des « yes men »…

Il avait l'intelligence de laisser… la concurrence les embaucher!

En tout cas à sa manière il était un millionnaire paresseux avant la lettre!

Oui, il déléguait, et avec la confiance d'un homme qui veut et sait (ce n'est pas la même chose mais il faut d'abord commencer par le vouloir bien entendu), s'entourer de gens forts et compétents.

Le génie de la publicité, David Ogilvy, fondateur de la célèbre agence Ogilvy Mathers, l'une des cinq agences de publicité les plus importantes du monde, raconte, dans son livre *Ogilvy On Advertising*:

« Lorsque quelqu'un est nommé à la tête d'une des succursales de Ogilvy Mathers, je lui envoie une poupée matriochka de Gorky (ce qu'on appelle communément une poupée russe...). S'il a la curiosité de l'ouvrir, et continue de l'ouvrir jusqu'à ce qu'il arrive à l'intérieur de la plus petite poupée, il trouve ce message: « Si chacun de nous embauche des gens plus petits que lui, nous deviendrons une compagnie de nains. Mais si chacun de nous embauche des gens plus grands que lui, nous deviendrons une compagnie de géants. »

Voilà qui est au cœur même de la philosophie d'embauche du millionnaire paresseux, parce qu'il veut une compagnie de géants, et non de nains. Il veut en tout cas s'entourer de gens compétents, autonomes, créatifs.

Pourquoi?

Parce que, étant paresseux par définition et par sagesse, il sait que s'il embauche des nains, des sous-fifres faibles et maladroits, en un mot des incompétents, il sera obligé de travailler plus dur, alors qu'il a précisément pris la décision d'embaucher pour travailler moins et faire plus d'argent.

Il ne veut pas être obligé de repasser constamment derrière ceux qu'il embauche.

Car alors, bien entendu, ce n'est pas de la véritable délégation: c'est une entreprise dissimulée et inavouée d'autoglorification. Et ce que vous faites alors consiste en ceci. Vous vous dites, plus ou moins consciemment: « Ceux qui m'entourent et que j'ai pourtant nommés sont moins compétents que moi et la preuve c'est que je suis toujours obligé de repasser derrière eux! »

En un sens déléguer est une sorte d'expérience spirituelle: vous devez faire confiance à l'autre, laisser aller, ce qui peut être difficile sinon impossible si vous êtes ce que les Américains appellent un « control freak », quelqu'un qui veut toujours tout contrôler…

En ce cas, vous n'êtes pas un millionnaire paresseux et vous aurez de la difficulté à vous enrichir sans y laisser votre santé et vos nerfs, et probablement aussi votre famille…

Tous les millionnaires paresseux délèguent.

Ils s'efforcent de se concentrer le plus possible, idéalement exclusivement, sur les tâches qui sont de leur niveau…

J'ajouterais cependant ceci: à vos débuts (j'entends comme entrepreneur), vous seriez bien avisé de faire beaucoup de choses par vous-même, et donc de ne pas embaucher trop et trop rapidement. John Paul Getty a gagné son premier million à 23 ans, sans bureau et sans secrétaire. Pratiquant la « simplicité volontaire », il faisait tout à partir de… sa voiture!

Inspirez-vous de sa frugalité et de son sens remarquable de l'économie, mais dès que vous pourrez, déléguez!

Mais pas n'importe comment: comme un millionnaire paresseux.

Le millionnaire paresseux sait que… 80 % du succès de la délégation efficace consiste à:

CHOISIR LA BONNE PERSONNE

Par conséquent, il n'hésitera pas à consacrer beaucoup de temps à cette tâche.

Il n'hésitera pas non plus à passer beaucoup de temps à expliquer clairement ses objectifs.

Ni à féliciter la personne si la tâche a été accomplie correctement.

Car déléguer habilement est une chose, mais garder le moral de ses troupes élevé en est une autre: le millionnaire paresseux ne l'oublie jamais.

Pour déléguer habilement, et aussi pour motiver constamment les gens autour de soi, (employés, associés, collègues, clients) pour accroître sa popularité et son influence, il existe un outil fort simple et que pourtant 80 % des gens n'utilisent pour ainsi dire jamais.

Découvrons-le ensemble dans le prochain chapitre…

Vous allez voir, il est vraiment extraordinaire, et ses applications sont infinies…

Chapitre 18

Le millionnaire paresseux est positif

Dans leur sympathique petit livre *How Full Is Your Bucket*, Tom Rath et Donald O. Clifton utilisent, pour décrire les relations humaines, une métaphore d'une merveilleuse simplicité.

Je vous la résume car, parfaitement conforme à la philosophie du millionnaire paresseux, elle est extraordinairement « économique » dans son application, et permet des résultats surprenants.

Nous avons tous, expliquent les auteurs, un seau invisible.

À chaque interaction que nous avons – et nous en avons en général des centaines tous les jours – avec notre patron, nos employés, nos collègues, nos parents, nos amis, notre conjoint, nous sentons, selon ce que les gens nous ont dit ou fait, que notre seau invisible est plus plein ou plus vide…

Et comme nous avons aussi une louche invisible, chaque fois que nous interagissons avec les autres, nous emplissons ou vidons leur seau invisible…

Lorsque notre seau est plein, mieux encore lorsqu'il est débordant, naturellement, nous nous sentons bien…

Et l'inverse est vrai, bien entendu : lorsqu'il est vide, nous nous sentons mal…

Mieux encore, lorsque nous emplissons le seau d'un autre, nous emplissons du même coup le nôtre, et lorsque nous vidons le seau d'un autre – une tendance hélas trop répandue et souvent complètement inconsciente ! – nous vidons notre propre seau…

D'ailleurs, ne l'avez-vous pas expérimenté à de nombreuses reprises dans votre vie?

Lorsque vous avez parlé en mal contre quelqu'un, lorsque vous l'avez critiqué un peu mesquinement, lorsque vous avez délibérément refusé de reconnaître son mérite, lorsque vous ne l'avez simplement pas écouté ou ignoré, vous vous sentez presque automatiquement diminué, déprimé, comme si c'était à vous-même que vous aviez infligé ce mauvais traitement, même subtil, même insignifiant en apparence?

Comment emplissons-nous le seau invisible d'un autre?

En...

- lui faisant un compliment ou un cadeau inattendu...
- en le félicitant pour une nomination, une augmentation...
- en le remontant lorsqu'il est découragé...
- en lui rendant service spontanément...
- en mettant en perspective un échec, une difficulté...
- en le surprenant à faire quelque chose de bien...
- en lui disant régulièrement à quel point vous appréciez ses services, son partenariat, sa compagnie, ses conseils...

Rares sont les gens qui réalisent à quel point chaque petite interaction que nous avons quotidiennement a son l'influence, car en vérité chaque instant compte dans une vie professionnelle ou conjugale.

Ainsi le spécialiste américain du mariage, John M. Gottman, qui a écrit le merveilleux livre *Les couples heureux ont leurs secrets*, se fait fort de prédire l'avenir d'un couple, de déterminer en somme son «cœfficient de durabilité», simplement en observant pendant quelques minutes la manière dont ses membres interagissent.

Ses observations sur des milliers de couples au cours de plus de 20 ans l'ont mené à cette conclusion étonnante et pourtant fort logique, quand on y pense, que le ratio magique d'interaction dans un couple est le ratio de 5\1.

En effet si un couple a 5 interactions positives pour chaque interaction négative, ses chances de survie (et de bonheur conjugal!) sont excellentes.

Plus le couple s'éloigne de ce ratio magique, plus ses chances de survie et de bonheur à long terme diminuent.

Quand on pense que certains couples ne peuvent pas ouvrir la bouche sans se critiquer, sans se faire des reproches, sans se dire des vacheries, pas étonnant qu'il y ait tant de divorces et d'unions malheureuses…

Pour ma part, lorsque j'ai pris conscience de ce ratio magique, je me suis rendu compte que je n'étais pas aussi positif que je le croyais, autant avec mes collaborateurs, les membres de ma famille, mes amis que ma femme, et, en millionnaire paresseux qui se respecte, je me suis empressé d'apporter des correctifs qui ont eu des effets vraiment miraculeux.

Pensez à votre propre vie…

Quel est votre ratio ?

5\1 ?

7\1 ?

Ou plus probablement 3\1 ?

Ou même 1\1, ce qui au fond ne serait pas si mal…

À la vérité, la plupart des gens ont un ratio probablement négatif !

De 3\5 ou même de 1\5, si ce n'est 0\5 ou 0\10 ou 0\20…

Pourquoi ?

Tout simplement parce que – et c'est sans doute la plus grande tristesse du monde – 8 personnes sur 10 sont négatives 80 % du temps…

Encore cette incontournable loi de Pareto !

En fait, lorsque les gens ne sont pas complètement négatifs, ils souffrent si on peut dire de négativité restreinte, (comme la relativité restreinte d'Einstein !) ou encore, ils sont indifférents, ne s'intéressent pas vraiment aux autres.

C'est pour cette raison que le millionnaire paresseux est un original : il est un louangeur…

C'est pour lui un sport, une habitude mentale, un système même, et à la fin une seconde nature.

Il reconnaît le travail des gens qui l'entourent, qu'ils travaillent avec lui ou pour lui… Il les complimente, (intelligemment et de manière individualisée!) les encourage, les soutient, les écoute les fait rire, souvent à ses propres dépens, ce qui est du meilleur humour...

En d'autres mots, et plus souvent qu'à son tour, il emplit leur seau invisible...

Son succès auprès des gens, sa popularité, son charisme et son influence en sont A-U-T-O-M-A-T-I-Q-U-E-M-E-N-T augmentés.

Pourquoi?

Parce que sondage après sondage, on a démontré la même chose:

2 employés sur 3 ne se sentent pas appréciés à leur juste valeur au travail...

Pas étonnant que ce soit la raison numéro 1 pour laquelle les gens quittent leur emploi...

Et quand on sait ce que les départs, souvent précipités, et souvent pour un concurrent causent comme soucis et comme pertes...

Sans compter l'absentéisme et le manque de motivation qui chaque année coûtent aux compagnies américaines plus de 300 milliards!

Parce qu'il n'y a que les idiots pour penser que les gens ne travaillent que pour leur salaire.

Bien sûr pour la plupart, ils n'iraient pas travailler s'ils n'étaient pas payés (ce qui est triste soit dit en passant! – mais le chèque de paie ne suffit pas à rendre les gens heureux (surtout s'il est petit bien entendu!) ni à les retenir parce que dès qu'ils sentiront qu'ils ont ailleurs la possibilité (même illusoire!) d'être mieux reconnus, ils remettront leur démission.

Comme, dans un couple, l'homme ou la femme remettra tôt ou tard sa «démission» s'il ne se sent pas apprécié à sa juste valeur par son conjoint!

Si vous voulez devenir un millionnaire paresseux accompli, demandez-vous sans attendre quel est votre type d'interaction habituel avec les autres?

Soyez honnête, soyez lucide: votre succès, financier et personnel, en dépend!

Emplissez-vous le seau des autres plus souvent qu'à votre tour?

Ou au contraire le videz-vous, sans même vous en rendre compte?

C'est important que vous le sachiez et que vous preniez les mesures qui s'imposent.

Parce que personne, à long terme, ne veut interagir avec quelqu'un qui vide constamment son seau...

À moins d'être masochiste ou si peu conscient de sa valeur qu'il est près à tout accepter, même les pires vexations!

Mais là c'est une autre histoire!

En devenant constamment positif, vous deviendrez un véritable aimant pour les autres...

Non seulement parce que c'est original, parce que c'est comme une brise fraîche dans le désert de l'existence et du marché du travail, mais tout simplementparce que c'est... ce que tout le monde recherche sans bien souvent le savoir!

Cela étant dit, ça ne veut pas dire qu'il faille être TOUT LE TEMPS POSITIF!

Il y a des moments où ON DOIT dire des choses désagréables, des choses qui ne font pas plaisir.

Mais lorsque l'intention est bonne, lorsque la critique est constructive, ça passe.

Surtout s'il y a eu avant et qu'il y aura après plusieurs interactions où vous avez empli le seau de l'autre...

Vous me suivez?

Être positif, ne veut pas dire qu'il faille toujours dire oui...

Par exemple, en édition, un éditeur doit dire non à 9 manuscrits sur 10, et parfois plus.

Est-ce parce qu'il est négatif?

Non.

Il peut être en fait l'éditeur le plus positif du monde, mais il sait que les bons manuscrits sont rares.

Le grand réalisateur Steven Spielberg a refusé les trois premiers scénarios qu'on lui a présentés pour le dernier volet d'Indiana Jones, même s'il est conscient que le temps presse et qu'il faudra bien qu'il en trouve un très prochainement, s'il veut que Harrison Ford puisse tenir le rôle autrement qu'en fauteuil roulant!

Est-ce parce qu'il est négatif?

Non.

En fait c'est probablement un des hommes les plus positifs de sa profession si on en juge par le nombre extraordinaire de projets qu'il mène de front et ses innombrables succès.

La loi de Murphy dit: « Si une chose peut aller mal, elle VA mal. »

À la vérité, c'est ce que la plupart des gens pensent même s'ils ne l'avouent pas.

Parce qu'ils sont foncièrement négatifs.

Du reste sans même le savoir.

C'est la couleur normale de l'eau, dans leur aquarium, alors ils ne pourront jamais imaginer qu'il puisse en être autrement. Le millionnaire paresseux dit:

« Si une chose peut aller bien, même si les chances qu'elle aille bien sont infimes, elle IRA bien! »

Non seulement le millionnaire paresseux est-il foncièrement positif, non seulement cherche-t-il une manière de triompher, de trouver un avantage, un profit dans toute situation, mais il cherche également à s'améliorer constamment.

À faire constamment et patiemment de petits pas en direction de son but…

Il est animé par l'esprit du kaizen, qui est le mot japonais pour l'esprit de constante amélioration de soi.

S'il connaissait le vieux Sénèque, il dirait comme lui: « Aussi longtemps que vous vivez, continuez d'apprendre à vivre… »

Le millionnaire paresseux travaille constamment sur lui pour apprendre à mieux vivre, à utiliser toujours plus habilement, toujours plus subtilement les différents outils mis à sa portée: la loi du moindre effort, sa préférée, la loi de Parkinson, utile lorsqu'on n'en abuse pas, l'imitation, lorsqu'elle est originale, la délégation, lorsqu'elle est éclairée, etc.

Le millionnaire paresseux est POSITIF.

Chapitre 19

Ayez un agenda de millionnaire paresseux!

Voulez-vous savoir si vous avez un agenda de millionnaire paresseux – donc si vous menez la vie d'un millionnaire paresseux ou tout au moins en avez le potentiel?

C'est fort simple:

Mettez un cœur dans votre agenda à côté de toutes les choses que vous AIMEZ faire!

Et mettez un X à côté de toutes celles que vous... N'AIMEZ PAS faire!

Puis faites le compte!

S'il y a plus de X que de cœurs, je suis certain que... vous n'êtes pas millionnaire paresseux!

S'il y a plus de cœurs, ça ne veut pas dire nécessairement que vous êtes millionnaire.

Mais s'il y a plus de X, ça veut dire que vous ne l'êtes pas...

Pourquoi?

Parce qu'il n'y a pas de millionnaire paresseux ni même de millionnaire tout court qui n'aime pas passionnément ce qu'il fait, qui n'en « mange pas », comme on dit.

Et le domaine n'a que peu d'importance.

J'en ai eu une preuve récemment en bavardant avec le nettoyeur (teinturier pour les Français!) du coin. Je me demandais parfois comment il faisait pour rouler dans une voiture aussi luxueuse, malgré un commerce en apparence si modeste. Je me suis rendu compte que, justement, ce commerce n'était pas si modeste…

Ambitieux, astucieux, ce nettoyeur ne se contentait pas de servir la clientèle du coin. Il avait une flotte de camions qui lui permettait aussi de desservir une vaste clientèle institutionnelle comme celle des hôpitaux, des hôtels, des terrains de golf, et c'est là en fait qu'il réalisait 80 % de son chiffre d'affaires… (Tiens, encore ce Vilfredo Pareto) !

Mais ce qui me surprit le plus, ce fut lorsqu'il m'avoua, avec un large sourire :

« J'A-D-O-R-E le nettoyage ! »

J'ai trouvé ça beau.

Oui, j'ai trouvé ça beau parce que, moi, honnêtement, je n'aurais jamais pensé qu'on pût adorer pareil travail.

Je savais que c'était un métier propre, le nettoyage, mais que ce fut pour lui le plus beau métier du monde, franchement, ça m'épatait…

Et j'ai compris pourquoi ce type était toujours souriant et… roulait dans une magnifique Lincoln !

Et ça m'a rasséréné, d'une certaine manière, parce que j'ai toujours pensé que le métier de romancier était le plus beau métier du monde.

Et maintenant, je vois que la vie peut être supportable pour les autres, je veux dire ceux – que j'avais tendance à plaindre – qui n'écrivent pas !

Vous, adorez-vous le « nettoyage » que vous faites pour gagner votre vie ?

Et dans votre agenda que vous venez d'annoter le plus lucidement, le plus honnêtement du monde, y a-t-il plus de cœurs que de X ?

Je vous le souhaite.

Du fond du cœur.

Parce que si votre agenda est bourré de choses qu'il vous déplaît de faire, qui même vous horripilent, vous font c…, je sais, sans avoir à être un grand psychologue, et sans avoir à jeter un coup d'œil à votre compte en banque, que vous n'êtes pas millionnaire.

D'ailleurs moi, quand je parle à quelqu'un et qu'il me dit qu'il déteste son travail, je me méfie un peu.

Surtout si je dois m'associer avec lui dans quelque aventure.

Qui me dit qu'il ne transportera pas sa haine dans un autre travail ? Notre amour – et notre haine – du travail et de la vie ne nous suivent-ils pas partout, aussi fidèlement que notre ombre ?

Aussi fidèlement que nos angoisses, qu'un million de dollars dans notre compte en banque n'apaiseront que bien temporairement ?

Oui, ce type qui déteste son travail, si cette haine le suit dans son nouveau travail, comment pourra-t-il y faire fortune, comment pourra-t-il y réussir ?

Une précision.

Que quelqu'un me dise qu'il n'aime pas son travail depuis six mois, un an, va toujours. On peut se lasser. C'est tout à fait humain. Mais si cette personne m'avoue détester son travail – et bien entendu, tant qu'à y être, son patron et ses collègues ! – depuis trois ans, cinq ans, dix ans, alors je pense que le problème est en elle.

En tout cas, je la sais passive, peu énergique, sans ressources et je sais qu'il y a peu de chances qu'elle devienne jamais millionnaire.

Moi, en tout cas, je peux dire que j'ai aimé tous les emplois que j'ai occupés avant de devenir romancier à temps plein.

J'ai été vendeur, prof de yoga, éditeur...

Je ne dis pas que j'aurais fait ces métiers toute ma vie et c'est pour cette raison qu'un jour je les ai quittés, mais le temps que je les ai faits, je les ai aimés, et ils m'ont appris beaucoup, et les leçons que j'en ai tirées me servent encore.

Je les ai quittés parce que, à un moment, je sentais que mon temps était fait, comme on dit, et que mon cœur n'y était plus,

Il était rendu ailleurs.

Et justement quand votre cœur est ailleurs, il faut que vous vous rendiez précisément là, parce que c'est là et pas ailleurs que vous réussirez !

À devenir millionnaire paresseux.

Ou simplement heureux.

Ce qui vaut plus que tout le reste.

Alors laissez-vous constamment guider par le principe du plaisir au lieu de passer votre vie à dire : « Il faut que je fasse ceci, il faut que je fasse cela… »

Combien de fois par jour commencez-vous vos phrases par : « Il faut que… » ?

« Je ne peux pas te parler, il faut que… »

« Je ne peux pas aller en vacances, il faut que… »

La seule chose qu'il vous FAILLE FAIRE, mais alors là vraiment, c'est de vous amuser !

Pourquoi ?

Parce que, que vous le sachiez ou pas, que vous l'admettiez ou pas : le principe du plaisir est… le principe de réalité du millionnaire paresseux !

Je le redis, et cette fois-ci en grosses lettres parce que c'est important que ça vous rentre dans la tête :

LE PRINCIPE DU PLAISIR EST…

LE PRINCIPE DE RÉALITÉ DU MILLIONNAIRE PARESSEUX !

« Les grands génies, a dit Leonardo da Vinci, accomplissent parfois plus en travaillant moins. »

Voilà qui sonne comme les paroles même d'un millionnaire paresseux avant la lettre !

Et comme ça vient de la bouche d'un des plus grands génies de tous les temps, il faut prêter une oreille attentive à sa réflexion. Comme au conseil qu'il donne dans son *Traité de la peinture* : « C'est une très bonne idée de s'accorder régulièrement un peu de repos. Lorsque vous revenez au travail, votre jugement sera plus sûr, car en restant constamment au travail vous perdez la faculté de bien juger… »

Alors non seulement faites ce que vous aimez, mais prenez souvent du repos, prenez souvent des vacances !

C'est ce que font les plus grands.

Pourquoi pensez-vous que Tiger Woods ne participe pas à tous les tournois, pas plus que ne le faisait avant lui le grand Jack Nicklaus ?

Parce qu'il sait comme son illustre prédécesseur, que c'est impossible de fournir semaine après semaine l'énergie, l'intensité, la concentration nécessaires pour gagner, et surtout gagner les grands tournois, qu'il convoite par-dessus tout.

Alors il se ménage.

Alors il fait alterner savamment effort et repos.

Comme un millionnaire paresseux.

Parce que le millionnaire paresseux sait que sa matière première, son trésor le plus précieux, c'est le temps, certes, mais c'est aussi et surtout l'É-N-E-R-G-I-E !

Car sans énergie, et surtout sans l'énergie la plus haute, la plus pure, la plus vive, il ne pourra jamais mener à terme ses projets.

Sans énergie, il ne pourra pas avoir des idées claires.

Sans énergie, il ne pourra saisir au vol l'occasion lucrative qui se présente à lui et que son voisin laissera passer, parce qu'il est trop épuisé par son travail !

Sans énergie, il ne pourra pas éviter de coûteuses erreurs de jugement.

Sans énergie, il ne pourra pas convaincre tous ceux qui l'entourent d'aller avec lui dans la même direction : celle de la fortune et du succès.

Alors il soigne son énergie comme son plus précieux trésor.

Mark Twain a dit : « Les gens se plaignent constamment du temps, mais personne ne fait rien à son sujet ! »

C'était un mot d'esprit, bien entendu, et des plus fins, mais ne pourrait-on pas faire la même remarque au sujet du travail ?

Tout le monde se plaint constamment de trop travailler mais personne ne prend assez souvent de vacances.

Le millionnaire paresseux ne se plaint pas parce que, justement, c'est dans sa discipline de vie de ne pas dépasser ses limites, de ménager sa monture.

Oui, contrairement à ce qu'on pense, les gens qui travaillent beaucoup et se surmènent constamment MANQUENT AU FOND DE DISCIPLINE !

C'est pour cette raison, parce que, lui, est discipliné, que le millionnaire paresseux planifie SÉRIEUSEMENT ses vacances dans son agenda…

Et sérieusement, ça veut dire : souvent…

En fait, chaque fois que vous commencez à vous sentir stressé, négatif, facilement contrarié, déprimé… vous devriez vous arrêter !

(Si vous vous sentez ainsi depuis des années, vous avez du (bon) temps à rattraper) !

Parce que c'est un signe de votre corps.

De votre corps qui vous dit à sa manière que si vous ne prenez pas de vacances, lui… il va en prendre !

Et sans votre consentement : vous allez tomber malade ! Vous vous foutez de lui, il se fout de vous !

Qu'est-ce que vous préférez ?

Être allongé tout bien bronzé sur la plage en sirotant une margarita en bonne compagnie ou être allongé seul dans votre lit avec une fièvre de cheval ?

POST SCRIPTUM :

Ouf… !

Enfin fini… ou presque !

Il était… temps !

Car je pars demain jouer au golf en Floride !

Les millionnaires paresseux font ça, aussi !

Il y a six petites semaines, utilisant la loi de Parkinson, je me suis acheté des billets d'avion…

Si bien que je n'avais pas le choix, il me fallait pondre ce livre en six semaines…

Je l'avais promis à mon éditeur, mais aussi… j'avais besoin de me changer les idées !

C'est que je venais de recevoir un appel d'un ami qui m'avoua qu'il ne pourrait pas me remettre avant longtemps – lisez : jamais ! – la somme rondelette que je lui avais prêtée et qu'il devait me remettre depuis un mois déjà…

Au lieu d'en faire un ulcère, j'ai pensé d'écrire ce livre dont le sujet du reste me tient à cœur.

Il y a quinze minutes, cet ami dont je ne m'attendais plus à avoir de nouvelles, m'a appelé pour me dire qu'il me rembourserait finalement l'argent.

Voilà les mystérieux détours que prend la Vie avec un romancier paresseux!

Comme quoi, à quelque chose malheur est bon: un millionnaire paresseux fait flèche de tout bois!

C'est la grâce que je vous souhaite!

L'ART D'ÊTRE TOUJOURS EN VACANCES

Marc Fisher

Chapitre 1

Prenez « votre » temps, puisqu'il est à... vous !

On dit : « Le temps c'est de l'argent. »

Si c'est vrai, j'ai de mauvaises nouvelles pour la plupart d'entre vous : j'ai l'impression que vous n'avez pas beaucoup d'argent parce que...

Parce que dix fois, vingt fois par jour j'entends autour de moi les gens se plaindre : « Je n'ai pas le temps ! »

« J'aimerais faire de l'exercice, lire le dernier best-seller, passer plus de temps avec mes enfants mais... je n'ai pas le temps ! ».

« J'aimerais voyager plus, jouer plus souvent au golf, prendre des vacances, mais... je n'ai pas le temps ! »

« J'aimerais voir mes cousins, mes tantes plus souvent qu'une fois tous les trois ou cinq ans mais... je n'ai pas le temps ! »

Et à chaque enterrement d'un vieil oncle ou d'une vieille tante, vous vous promettez que vous vous verrez ailleurs que dans un salon funéraire.

Et la fois suivante, amusés et coupables, vous vous rappelez, entre vous, que vous vous êtes fait cette promesse la fois précédente et que, cette fois-ci, ce ne sont pas des paroles en l'air : vous allez vraiment vous voir dans des circonstances plus heureuses !

Mais s'il n'y a pas de baptême ou de mariage dans la famille, vous ne vous voyez pas : il faut attendre le prochain décès !

Nous sommes dans un Grand Prix, un Grand Prix qui coûte cher, de plus en plus cher...

C'est normal, c'est un... « Grand Prix » !

Alors chaque jour vous devez rouler de plus en plus vite, jusqu'à votre dernier tour de piste, qui vient parfois plus vite que vous n'aviez pensé !

À vingt ans, vous entrez dans la vie, comme on dit, vous prenez ou êtes sur le point de prendre votre premier appartement, parce que vos parents ont hâte que vous... entriez dans la vie, justement, que vous voliez de vos propres ailes, pour pouvoir déployer les leurs et... recommencer à vivre !

Vous prenez les bouchées doubles, parce que vous étudiez ET vous travaillez... pour payer vos études et toutes vos autres dépenses. Pour la première fois de votre vie, vous comprenez pourquoi votre père vous a crié pendant toute votre adolescence de... fermer les lumières : c'est effrayant comment ça coûte cher, l'électricité !

Et vous avez une petite pensée attendrie pour votre papa que vous aviez toujours pris pour un maniaque et un grippe-sou.

Vous roulez au volant d'une petite Honda toute rouillée mais que vous adorez, parce que c'est votre première voiture, et en plus, elle est increvable et ne coûte pas cher d'essence...

À vingt-cinq ans, vous avez enfin votre premier « vrai » emploi, votre premier vrai conjoint, et votre première (petite) voiture neuve. Vous continuez de prendre les bouchées doubles parce que vous avez pris un appartement plus grand, et en plus vous devez rembourser votre prêt étudiant et payer votre prêt auto... Mais peu importe, vous êtes débordant d'énergie (et de dettes !) et vous vous dites que vous avez toute la vie devant vous...

À trente ans, vous commencez à faire un peu plus d'argent, et vous commencez à regarder du côté des plus belles voitures, peut-être une première Lexus, mais... vos plans changent à la dernière minute parce que vous apprenez que vous allez avoir un premier enfant. Alors aussi bien vous marier (ça coûte cher, cette affaire-là, avoir su...), alors aussi bien acheter votre première maison.

Vous continuez de prendre les bouchées doubles, triples en fait parce que, maintenant, il y a trois bouches dans la famille.

Mais vous vous dites que c'est juste un coup à donner et qu'à quarante ans vous allez enfin pouvoir relaxer, voyager, vivre, quoi...

Mais à quarante ans, vous ne relaxez pas parce que vous venez de décrocher pour la première fois de votre vie un travail vraiment intéressant, avec des responsabilités, mais aussi des obligations… comme celle de travailler soixante heures par semaine !

Vous commencez enfin à faire vraiment de l'argent, mais vous n'en voyez pas vraiment la couleur, parce que vous venez aussi d'acheter enfin votre première BMW, et puis vous avez un deuxième enfant, qui vous coûte plus cher, beaucoup plus cher que le premier, parce que vous l'avez eu avec une deuxième épouse : la première a divorcé parce que vous travailliez soixante heures par semaine et a aussi obtenu une grosse une pension alimentaire qui malheureusement n'est plus déductible d'impôts…

À cinquante ans, vous commencez à ressentir des signes de fatigue, (normal, deux enfants, deux mariages !) vous avez souvent mal au dos, vous avez un début d'ulcère d'estomac, et vous prenez de la sulfate de glucosamine parce que vous avez mal au genou gauche quand vous jouez au golf… même en voiturette électrique !

Vous avez parfois des points au cœur, surtout depuis que votre meilleur ami a fait un infarctus qui a failli l'emporter.

Et vous faites un peu d'angoisse, parce que votre cousin préféré, à qui vous aviez promis de le voir plus souvent lors de votre dernière visite au salon funéraire, eh bien vous l'avez vu pour la dernière fois de votre vie, encore une fois au salon funéraire, la semaine dernière, car… il est mort d'un cancer de l'intestin !

Alors vous commencez à comprendre que vous n'êtes pas éternel, et qu'il serait peut-être temps, avant qu'il ne soit trop tard, de ne plus prendre les bouchées doubles…

Parce que, pour la première fois de votre vie, vous sentez que… vous n'avez plus la vie devant vous !

Vous comprenez enfin que l'actrice comique Lili Tomlin ne plaisantait pas quand elle disait : « Le problème avec la course de rats, c'est que, même si on la gagne, on reste un rat ! »

Vous n'êtes peut-être pas un rat, mais vous êtes fatigué comme un chien parce que, justement, vous avez travaillé comme un chien pendant trente ans.

Vous m'objecterez peut-être que vous n'y pouvez rien, que tout le monde a le même problème de temps ou plutôt de manque de temps, que tout le monde est pressé, que tout le monde court tout le… temps, qu'en somme c'est un malaise dans la civilisation pour paraphraser Freud…

Je sais…

Au restaurant, chez le garagiste, à la pharmacie, presque partout où vous allez, à chaque comptoir, on s'empresse de vous dire, pour ne pas perdre votre clientèle ou prévenir un éventuel élan de rage: « Ce ne sera pas long ! » (À l'hôpital on ne vous le dit pas car on sait que vous n'êtes pas une valise et que… ce sera long) !

Ce ne sera pas long…

Mais êtes-vous obligé de répondre: « Je l'espère, parce que imaginez-vous que je n'ai pas toute la journée devant moi ! J'ai des choses importantes à faire, moi ! »

À la fin de ce petit livre sans prétention, j'espère que vous pourrez répondre autre chose…

Que vous pourrez peut-être répondre comme moi, qui n'ai jamais de choses vraiment importantes à faire dans la vie, il me semble, sinon de… vivre !

Moi, en tout cas, lorsqu'on me sert cet avertissement: « Ce ne sera pas long », je m'empresse de répondre: « Je ne suis pas pressé. » Et ce n'est pas seulement par politesse, pour enlever un peu de pression sur les épaules du pauvre employé qui me sert.

C'est parce que, vraiment, sauf exception, je ne suis pas pressé.

J'aime prendre mon temps.

J'ai le droit d'ailleurs.

C'est « mon » temps, oui ou non ?

S'il est à moi, mon temps, n'est-ce pas normal que je l'aie, que je le possède, au lieu de me laisser posséder par lui comme la grande majorité des gens ?

D'ailleurs on me dit souvent – je ne suis pas trop sûr s'il s'agit d'un compliment ou d'un reproche – que non seulement j'ai l'air d'avoir tout mon temps, mais que j'ai l'air d'être en vacances, ou de revenir de vacances…

Ah ! là, je vous le dis, c'est mon compliment préféré.

Soit dit en passant c'est mieux que de se faire dire, parce qu'on nous trouve d'une verdeur inquiétante : « Tu as besoin de vacances, toi... », surtout si c'est votre patron qui vous le dit et qu'il spécifie que – il l'a décidé à votre place ! – ce seront de longues vacances !

N'est-ce pas ainsi qu'on devrait toujours avoir l'air : en vacances ?

D'ailleurs ce serait sympa, parce que, là, on n'attendrait pas toujours nos deux ou trois semaines de vacances annuelles en rayant pitoyablement les jours sur notre calendrier.

Au lieu d'avoir l'air bête comme ses pieds, « sur le gros nerf », fatigué, à bout... on aurait l'air en vacances à l'année longue !

Comme nous serions d'un commerce agréable !

Et puis quand on prendrait de vraies vacances, eh bien, on pourrait en profiter vraiment, parce qu'on ne les commencerait pas (et souvent ne les finirait pas) à moitié mort.

Au bout de deux ou trois semaines, on ne se sentirait pas frustré de retourner au bureau parce qu'on commence juste à décompresser, à sentir notre bonne humeur perdue revenir, et que le meilleur de nous-même, qu'on retrouve à peine, on ne pourra le garder pour soi, parce que c'est à son patron qu'on devra le donner !

Oui, non seulement on ne prend pas souvent de vacances, mais on les prend souvent dans un état d'épuisement avancé, quand on ne tombe pas carrément malade le premier jour de congé (comme on meurt la première année de notre retraite !) parce que c'est le seul temps où notre pauvre corps surmené se croit autorisé de se reposer enfin !

Si vous manquez toujours de temps, si vous ne pouvez jamais prendre votre temps, en fait, vous êtes pauvre, il me semble, oui, PAUVRE, même si vous avez des millions dans votre compte en banque, une grosse maison, de belles voitures.

Vous passez à côté de l'essentiel, de la beauté réelle de la vie, de son but véritable. Parce que pour pouvoir trouver ces choses, et surtout pour pouvoir les apprécier, il faut justement... du temps !

C'est votre matière première, le temps, la substance à partir de laquelle tout se fait, ou se défait...

Alors il me semble que vous devriez passer quelques heures de votre vie – au moins une heure, en tout cas : ce qu'il faut pour lire cet opuscule ! – à réfléchir à cette question…

Dans le fond, c'est votre vie qui en dépend, c'est votre santé aussi, en somme, c'est votre BONHEUR.

Y a-t-il vraiment autre chose qui compte ?

Dans ce petit traité sans prétention, je vais tenter de vous démontrer que vous pouvez aller à contre-courant de la société moderne, où le progrès, il me semble, a fait plus de ravages que de bien réel.

Je vais vous donner quelques astuces, – qui s'ajouteront peut-être à celles que vous avez déjà –pour vous permettre de vous libérer, de devenir maître de votre temps au lieu d'en être l'esclave, pour être, en un mot, toujours en vacances…

Et le premier pas dans cette entreprise capitale, c'est, ce me semble, de se libérer de la tyrannie du travail, antidote numéro un des vacances.

Chapitre 2

Libérez-vous de la tyrannie du travail !

Il y a deux très grands dévoreurs de temps dans votre vie, qui ont ceci en commun qu'ils sont obligatoires, du moins en apparence…

Le premier, c'est le sommeil, auquel, si nous dormons huit heures par jour, nous consacrons… vingt-quatre ans de notre vie !

En supposant que nous nous rendions jusqu'à soixante-douze ans…

Le deuxième, c'est bien entendu le travail.

On y consacre en général huit heures par jour, auxquelles il faut toutefois ajouter l'heure qu'il faut compter (dans le meilleur des cas !) pour s'y rendre et en revenir…

Et c'est souvent beaucoup plus parce que vous habitez loin, parce qu'il a plu ou neigé, ou parce qu'il y a eu un accident même en sens inverse : mais les gens ralentissent quand même ou s'arrêtent carrément.

Par curiosité.

Ce qui est dangereux et produit parfois un autre accident, mais cette fois-ci de votre côté, ce qui, là, vous fait vraiment perdre beaucoup de temps !

Donc neuf heures par jour, mais en fait souvent beaucoup plus, parce qu'on rapporte souvent du travail (et des soucis professionnels !) à la maison et on se laisse déranger le soir et le week-end, pour les urgences réelles. Ou inventées par un patron obsédé – qui ne vit que pour son travail – ou parano, et qui a peur de perdre ses parts de marché… ou son job !

Et puis il y a Internet, le cellulaire, le BlackBerry, qui font une peu de nous des petits chiens du travail avec une grande laisse invisible: on peut être rejoints partout dans le monde vingt-quatre heures par jour! Quelle gloire!

Mais admettons que nous ne passions que neuf heures par jour à notre travail...

Oui, neuf heures par jour...

Cinq ou six jours par semaine...

C'est là, en somme, si on y pense, notre principale obligation et nous sommes... obligés d'y penser si nous voulons nous en libérer!

En fait, ces neuf heures que vous consacrez à votre gagne-pain sont aussi, en quelque sorte, le Minotaure qui, dans le labyrinthe de votre vie, vous dévore littéralement.

C'est plus de vingt ans de votre vie qui y passent... (encore une fois si vous vivez soixante-douze ans).

Donc près du quart de votre existence...

Donc, et à moins que dormir et travailler vous passionnent, vous passez environ quarante-cinq ans de votre vie à faire quelque chose que vous n'aimez pas vraiment ou dont vous n'êtes même pas conscient!

Ça commence à faire beaucoup, non?

En tout cas, c'est pour ça que vous ne voyez pas le temps passer, que vous vous réveillez un jour et que... vous êtes vieux, ou en tout cas âgé, trop âgé pour faire ce que vous rêviez de faire lorsque vous étiez... moins âgé, mais maintenant il est trop tard!

Vous avez tout donné à votre travail.

Pas tout mais beaucoup.

Beaucoup trop.

Du moins à mon avis.

Pensez-y...

Neuf heures...

Et pas n'importe lesquelles!

Parce qu'en général, ce sont les meilleures heures de la journée, celles où on est le plus en forme, le plus énergique...

Et c'est un peu ironique, un peu triste de penser que ces meilleures heures de la journée, le meilleur de vous-même, en somme, vous le « vendez » à un patron qui souvent n'est même pas vraiment reconnaissant puisqu'il ne vous paie que… médiocrement!

Et pourquoi déborderait-il de reconnaissance puisque c'est une vente à rabais, une banale solde à laquelle vous consentez en bradant votre travail pour la moitié, le dixième et même le millième de ce qu'il vaut!

Ou plutôt de ce que VOUS valez!

Et c'est un peu triste de penser que ce régime, vous vous y soumettrez aussi pendant les meilleures années de votre vie, l'âge qu'on appelle adulte et qu'on devrait appeler l'âge esclave, car on se rend compte que c'était seulement lorsqu'on était enfant qu'on était libre, et qu'il faudra attendre jusqu'à l'âge de la retraite pour retrouver cette liberté… Et c'est peut-être pour cette raison qu'on dit des vieux qu'ils sont retombés en enfance!

Seulement voilà: il n'est pas certain qu'on s'y rende, à l'âge de la retraite…

Et il n'est pas certain qu'on s'y rende dans l'état que l'on pense…

Il est même certain qu'on s'y rendra dans un état différent, dans un état légèrement endommagé, légèrement avarié…

À cet âge tant attendu – attendu pendant quarante ou cinquante ans! – on n'aura pas toujours l'entrain, l'énergie, la santé de faire ce qu'on a toujours eu envie de faire, mais qu'on n'a pas pu faire parce qu'on était obligé de… travailler!

Et pourquoi accepte-t-on cela?

Parce qu'on est comme tout le monde, et tout le monde se dit que… tout le monde doit travailler: c'est comme ça dans la vie!

Mais est-ce que ça devrait « vraiment » être comme ça dans la vie?

D'accord, si vous adorez votre métier, si votre métier est une véritable passion, j'admets, bien sûr, qu'on puisse y sacrifier le meilleur de sa journée puisque, en général, c'est là qu'on est à son meilleur…

Comme disent les bouddhistes, on est alors dans son dharma, ou sa mission, pour employer une expression à la mode qui n'a fait que réchauffer une notion millénaire !

J'admets qu'on veuille alors faire durer le plaisir, donc retarder le plus tard possible l'heure de la retraite puisqu'on ne travaille pas au fond mais on s'amuse.

Comme un petit fou.

Comme un grand sage.

Comme Warren Buffet, le deuxième homme le plus riche d'Amérique qui, à soixante-quatorze ans, dirige encore de main de maître Berkshire Hathaway Inc. qu'il a fondé il y a plus de quarante ans...

Comme Li Ka-Shing, un des hommes les plus riches d'Asie qui, à soixante-seize ans, dirige toujours les activités de Hutchison Whampoa Ltd, un vaste conglomérat mondial...

Comme Sumner Redstone qui, à quatre-vingt-un ans, assume la présidence du géant Viacom Inc.

Comme Kirk Kerkorian qui, à quatre-vingt-sept ans bien sonnés, fait encore des vagues dans le milieu des affaires par exemple en prenant une position persuasive dans GM dont il a acheté 7 % des actions...

Comme l'increvable grand écrivain français Henri Troyat qui vient de publier, à l'âge vénérable de... quatre-vingt-quatorze ans, une biographie de plus de cinq cents pages d'Alexandre Dumas !

Mais si vous ne travaillez que pour gagner votre vie, comme on dit, ce qui du reste est une bien curieuse expression...

Si vous rayez quotidiennement sur votre calendrier les jours qui vous séparent du vendredi – ou de vos deux petites semaines de vacances annuelles...

Si vous rayez patiemment les années qui vous séparent de votre retraite...

Si, en un mot, vous remettriez séance tenante votre démission à votre patron si vous gagniez le million (disons le... cinq millions because l'inflation !) je crois que vous devriez vous pencher sérieusement, oui, vraiment sérieusement, sur ces neuf heures...

Parce que ces neuf heures, elles sont cruciales, elles sont pour ainsi dire le cœur du problème…

Aussi devriez-vous, toutes affaires cessantes, (on ne saurait mieux dire!), vous pencher attentivement sur ces neuf heures et essayer de voir, avec un esprit ouvert, avec un esprit déterminé aussi, ce que vous pourriez faire avec elles, je veux dire comment vous pourriez les réduire, pas nécessairement à néant, mais au moins considérablement…

Et mieux encore, comment vous pourriez rapidement être dispensé de biffer sur votre calendrier les jours qui vous séparent de votre retraite…

Parce que vous pourriez la prendre bien plus jeune que vous aviez prévu!

Dans dix ans, dans cinq ans seulement, en travaillant de manière plus astucieuse, plus rentable, en dépensant moins aussi parce que bien souvent notre pouvoir d'achat n'est que notre pouvoir de nous appauvrir. Et bien sûr, en investissant plus, et plus tôt…

Oui, il faut absolument que vous vous attaquiez à ces neuf heures quotidiennes…

Pourquoi?

Parce qu'elles vous gardent prisonnier.

De votre véritable moi.

De vos rêves.

De vos désirs.

De vos talents négligés.

Parce qu'elles vous éloignent, parce qu'elles vous privent des êtres que vous aimez et qui vous aiment.

Mais que vous ne pouvez jamais voir ou seulement à la sauvette, et je ne parle pas de votre maîtresse ou de votre amant, mais non: de vos parents, de vos amis, de vos enfants…

De vos enfants que vous voyez moins que les étrangers à qui vous les confiez cinq jours sur sept et dont les enfants grandissent aussi avec des étrangers: on appelle ça des instituteurs!

De vos enfants qui grandissent sans vous voir, et que par conséquent vous ne voyez pas grandir, et qui partent souvent sans même vous dire au revoir…

Oui, de vos enfants, ces merveilles, ces petits trésors, à côté de qui vous n'êtes pas vraiment même quand ils sont à côté de vous, parce que vous n'avez pas le temps, parce que vous êtes occupé, ou préoccupé, parce que… parce que « papa doit encore travailler même à la maison, et maman aussi, et comme on a deux autos et une gardienne qui nous coûte les yeux de la tête ! »

La gardienne…

Une autre étrangère, tiens, qui n'a pas le temps de s'occuper de ses propres enfants parce qu'elle est obligée pour gagner sa vie de s'occuper des vôtres !

Oui, ces pauvres petits enfants, qu'on retourne à leurs jeux solitaires et ensuite on se demande comment il se fait qu'ils ont si mal tournés !

Oui, ces neuf heures, qui sont en somme les neuf barreaux de votre prison, ne vaudrait-il pas la peine de s'y arrêter, pour qu'elles arrêtent de dévorer notre vie ?

Et peut-être, pour se libérer (au moins en partie) de la tyrannie du travail, devrait-on commencer par dépenser plus astucieusement, plus parcimonieusement, nos dollars si durement gagnés.

Chapitre 3

N'achetez que lorsque vous avez décidé d'acheter

« Quand, à force d'économies, vous réussirez à vous payer la bagnole de vos rêves, celle que j'ai shootée dans ma dernière campagne, je l'aurai déjà démodée. J'ai trois vogues d'avance, et m'arrange toujours pour que vous soyez frustré. Le Glamour, c'est le pays où l'on n'arrive jamais. Je vous drogue à la nouveauté, et l'avantage avec la nouveauté, c'est qu'elle ne reste jamais neuve. Il y a toujours une nouvelle nouveauté pour faire vieillir la précédente. [...] Dans ma profession, personne ne souhaite votre bonheur, parce que les gens heureux ne consomment pas. Votre souffrance dope le commerce. Dans notre jargon, on l'a baptisée "la déception post-achat" ».

Ce texte est extrait de *99 F*, un roman, certes, mais qui a de troublants accents de vérité car son auteur, Frédéric Beigbeder, a travaillé pendant des années dans une grande agence de publicité avant de devenir romancier. Il sait donc de quoi il parle.

Cette confession d'un ex-publicitaire a quelque chose de troublant, non?

Vous, avez-vous un goût insatiable de la nouveauté?

Et la déception post-achat, l'avez-vous déjà ressentie?

Un jour, au British Open, à Saint-Andrews, en Écosse, un commentateur interviewa le sympathique golfeur Fuzzy Zellers, qui venait de magasiner dans les jolies boutiques du village historique. Il avait acheté une antiquité, un bâton de golf ancien, et le commentateur l'en félicita.

Zellers dit lucidement : « Ça me rendra heureux pendant cinq minutes ! »

N'est-ce pas une phrase que vous vous êtes souvent dite vous aussi ?

Ou peut-être n'avez-vous pas l'honnêteté – ou la lucidité – de vous la dire ?

Consommez-vous (à outrance, s'entend) parce que vous n'êtes pas heureux, et que vous cherchez désespérément à « collectionner » les cinq minutes de bonheur qu'un achat vous procure ?

Achetez-vous parce que vous êtes frustré ?

Parce que votre patron ou un collègue vient de vous engueuler ?

Parce que votre employé a fait une gaffe, parce que vos ventes ont baissé ou pire encore sont en chute libre ?

Parce que votre mari vous néglige ?

D'ailleurs, il vous laisse peut-être utiliser sa carte de crédit justement parce qu'il est trop occupé à travailler pour… payer ses dettes ?

Couvrez-vous vos enfants de cadeaux exorbitants pour leur faire oublier vos absences prolongées ?

Achetez-vous des cadeaux au-dessus de vos moyens pour impressionner la galerie, votre beau-frère, votre père, pour jouer au riche avec vos amis qui le sont vraiment ?

Beaucoup de gens consomment comme ils mangent.

En malades.

En tout cas en futurs malades !

Comme on dit en jargon psychologique, ils mangent leurs émotions.

Ils tentent d'acheter de la satisfaction, du bonheur.

Comme on travaille dur, on est stressé, alors on a besoin de décompresser.

Et on a surtout besoin de compensations.

De compensations rapides et immédiates.

C'est le bonheur fast-food.

On veut récolter les bénéfices de son travail tout de suite.

Pas l'année prochaine, pas le mois prochain : TOUT DE SUITE.

Les gourous des affaires répètent : FAITES-LE MAINTENANT !

Pour vous imaginer que vous êtes un homme ou une femme d'action et que vous êtes capable de prendre une décision rapide, votre credo est : J'ACHÈTE MAINTENANT !

Pourquoi en effet acheter demain ce qu'on peut acheter aujourd'hui ?

On veut se sentir puissant.

Et la manière la plus répandue, la plus simple, dirait-on, de se sentir puissant, c'est... d'exercer son POUVOIR D'ACHAT.

Mais en fait, si on s'arrête à y penser, n'est-ce pas plutôt notre pouvoir... d'enrichir les grandes compagnies qu'on exerce ?

Et encore plus souvent encore, dans 80 % des cas si on en croit les statistiques, notre pouvoir de... nous appauvrir, de nous endetter ?

Sans vouloir verser dans le manichéisme le plus plat, je crois qu'il serait parfois utile de voir que nous sommes tous engagés dès notre plus jeune âge dans une guerre sans fin : il y a NOUS d'une part, avec notre besace plus ou moins lourde de dollars, souvent gagnés à la sueur de notre front, et il y a... l'ENNEMI !

L'ennemi qui est LÉGION, qui est comme une ARMÉE de soldats, de mercenaires, pour mieux dire, qui ont tous pour mission la même chose : faire main basse sur NOS dollars !

Voyez-vous comme David !

Votre ennemi, c'est Goliath, comme dans la Bible.

Goliath est partout présent dans votre vie, à chaque coin de rue, dans chaque vitrine de magasin, dans chaque restaurant...

Il vous affronte sur chaque site Internet, jaillit dans les « pop-ups », a sa photo une page sur deux et parfois plus dans les journaux, les magazines, se glisse subrepticement entre les chansons à la radio, vous suit au cinéma où vous allez pour tout oublier : mais lui ne vous oublie pas, il est dans les bandes-annonces et se glisse même derrière Mel Gibson et Julia Roberts qui s'embrassent devant une boutique de Gucci ou de Chanel ! On appelle ça du placement-produit et (comme c'est un... placement !) ça rapporte en effet de l'argent aux producteurs de cinéma.

Goliath vous harcèle au téléphone, dans votre boîte aux lettres, à la télé bien sûr. Et là, vous lui donnez des munitions, vous lui facilitez la tâche parce que vous le laissez entrer insidieusement en vous trois ou quatre heures par jour: heureusement vous avez la télécommande pour le zapper à chaque pause commerciale!

Goliath a aussi toutes les astuces de l'homme invisible. Il est là même quand vous ne le voyez pas. Et même quand vous le croyez absent, il ne l'est pas, il rôde sournoisement, peaufinant ses ruses, raffinant ses plans d'attaques. Il est partout. La seule personne qui est plus omniprésente que lui, c'est Dieu.

Pas si mal quand même!

Le vrai Big Brother d'Orson Welles, c'est lui.

Oui, il est partout, surtout dans VOS PENSÉES, dans vos «rêves»...

Et il est aussi sur les lèvres de vos amis, de votre mari, de votre femme, de vos enfants, de vos collègues qui vous répètent constamment ce que le géant Goliath leur a répété sous toutes les formes, à toutes les sauces: «J'ai vu telle chose, tel objet, oh, dis, papa, oh, dis chéri, tu me l'achètes!»

«Hier, je me suis acheté tel nouveau gadget, c'est incroyable en as-tu un, toi?»

Et il faut bien sûr que vous vous précipitiez, comme tout bon animal qui suit docilement son troupeau, il faut que vous vous conformiez, sinon vous auriez l'air de quoi? D'un moins que rien, d'un «minus haben»: tiens, c'est le cas de le dire parce que ça veut dire qui a peu. Oui, si vous n'achetez pas tout de suite, vous aurez l'air de quelqu'un qui n'est pas dans le coup, qui est dépassé...

Si tu veux te sentir important, si tu veux te sentir riche ou en tout cas montrer que tu l'es même si tu ne les pas, si tu veux sentir que tu vis vraiment, si tu veux oublier que tu mourras un jour, il n'y a qu'un remède, une panacée: ACHETER!

Vite et mal et inutilement mais acheter quand même...

Ça sera toujours ça de pris, ça sera toujours ça... d'acheté!

Acheter pour s'étourdir, pour éviter de penser à ses problèmes, au vide en soi, à cette femme, à cet homme qui ne nous aime pas, qui ne nous aime plus, à soi qu'on n'a jamais aimé, peut-être parce que la première personne qui aurait dû nous aimer ne l'a pas fait, notre mère, notre père : acheter, c'est notre prière !

Ce que veut Goliath, et il est prêt à prendre tous les moyens, pour l'obtenir, c'est VOTRE ARGENT, c'est VOS DOLLARS, et il est tellement habitué de vous les ravir, de les avoir, qu'il considère qu'ils sont DÉJA à lui, même quand ils sont encore dans vos poches !

À ses yeux, – et l'expérience, et la majorité lui donnent constamment raison ! – ils n'y sont que provisoirement, ils ne font qu'y séjourner quelques jours ou quelques heures : en somme, ils ne sont qu'en transit dans vos poches avant de se retrouver dans les siennes !

Inégale, la partie semble perdue d'avance…

Et elle l'est en vérité pour 80 % des gens qui la perdent, qui perdent leur chemise dès leur jeunesse et passent leur vie à tenter de s'en remettre…

Mais David, malgré sa petitesse, peut vaincre le géant Goliath.

Il peut le vaincre car, vous vous en souvenez, il a une fronde.

Et avec cette fronde, il a en main TROIS PIERRES :

1. **LA PREMIÈRE PIERRE, c'est le DISCERNEMENT.**

Grâce à ce discernement, il voit que d'acheter frénétiquement ne le rendra pas heureux, que même ça le rendra misérable, en le forçant à travailler toujours plus, et par conséquent lui enlèvera ou diminuera sa liberté, un des biens les plus précieux à ses yeux.

2. **LA DEUXIÈME PIERRE, c'est la DISCIPLINE.**

Le discernement est une chose, mais il n'est pas suffisant. Tout le monde sait qu'il est nocif de fumer, de trop manger, de trop boire, de faire trop peu d'exercice. Mais peu de gens ont la discipline d'avoir une hygiène de vie saine.

3. **LA TROISIÈME PIERRE, c'est l'ÉQUILIBRE.**

L'équilibre qui permet de ne pas envier le succès ou la richesse des autres, de voir qu'on est de toute manière tous « le pauvre » de quelqu'un d'autre. L'équilibre qui permet d'avoir le contentement, qui permet d'apprécier ce qu'on a, véritablement, profondément, d'être reconnaissant à la Vie, et de ne pas tout de suite se désintéresser de tel objet une fois qu'on l'a pour en désirer un autre. Dont on se désintéressera aussitôt qu'on l'aura!

Avec ces trois pierres en main, le petit David terrasse le géant Goliath, et préserve ou retrouve sa liberté s'il l'avait perdue.

Si vous n'êtes pas sûr de pouvoir utiliser aisément ces trois pierres, posez-vous tout simplement, avant d'acheter, les trois questions suivantes:

EN AI-JE VRAIMENT BESOIN?

Et la plupart du temps, la réponse est: NON.

Pour vous en convaincre, faites le petit exercice suivant. Pensez à tout l'argent que vous avez dépensé depuis 10 ou 20 ans, et répondez honnêtement à la question suivante:

« Si je vous proposais de me céder tous les objets, les vêtements que vous n'avez portés qu'une ou deux fois, cette guitare dont vous ne jouez pas vraiment, cette scie ronde que vous n'utilisez pas deux fois par année, enfin tous ces objets qui encombrent vos tiroirs, vos placards, votre sous-sol et votre garage, oui, si je vous proposais de me céder tous ces objets en échange des 50 000 $, des 100 000 $ qu'ils vous ont probablement coûté, que préféreriez-vous? »

Je suis presque sûr que vous préféreriez l'argent!

Moi oui, parce que ces objets, maintenant que je les ai, je SAIS qu'ils sont inutiles, et ce n'est pas parce qu'ils sont usés ou démodés c'est qu'en fait ils... ont TOUJOURS été inutiles!

Alors pourquoi ne pas prendre de l'avance sur votre avenir, pourquoi ne pas, au lieu d'acheter ces objets inutiles, ne pas choisir l'argent tout de suite... pendant que vous en avez encore le choix?

La deuxième question, qui découle directement de la première, est:

« EN AI-JE VRAIMENT BESOIN TOUT DE SUITE? »

Là aussi la réponse honnête est la plupart du temps: NON.

Ça peut attendre. Ça peut toujours attendre une semaine, un mois, un an même. L'argent sera encore dans vos poches, et l'objet encore sur les tablettes, même si « Goliath » vous assure que la « super liquidation » ne durera que 24 heures.

La troisième question, la plus décisive en général qu'on devrait toujours se poser, mais qu'on préfère en général ne pas se poser parce qu'on connaît d'avance la réponse ou parce qu'on se laisse étourdir par les facilités de crédit de plus en plus considérables que Goliath met à notre disposition :

« EN AI-JE VRAIMENT LES MOYENS ? »

Si vous devez de l'argent sur votre marge de crédit ou vos cartes de crédit depuis plus d'un mois, en d'autres mots si vous n'avez pas pu tout rembourser le mois même où vous avez fait vos achats, la réponse est plate mais elle est simple, c'est NON.

VOUS N'EN AVEZ PAS LES MOYENS !

Penser le contraire, ne pas agir en conséquence est une illusion et un piège.

J'ai un ami à qui je parlais non seulement de la nécessité, mais de l'« ivresse » – enfin, toute relative ! – d'épargner.

Il me rétorqua du tac au tac : « Moi, je veux avoir dépensé mon dernier dollar à ma mort. »

C'est bien.

Et je sais que s'ils pouvaient revenir sur terre, bien des gens fortunés seraient déçus de la manière dont leurs héritiers dépensent leur argent.

Mais le seul problème avec cette philosophie, je crois, c'est qu'on dépense en général son dernier dollar… AVANT de mourir ! Bien avant de mourir, et alors on a un problème…

Il y a si peu de gens équilibrés avec l'argent.

Ou on pourrait dire : si peu de gens équilibrés, un point c'est tout.

À peine 20 % de la population, il me semble.

La plupart des gens souffrent de l'un ou l'autre des 2 travers suivants :

1. le plus répandu : ils dépensent trop, si bien qu'ils passent leur vie à s'endetter et arrivent à l'âge de la retraite avec la désagréable obligation de devoir se serrer la ceinture en plus de soigner leurs bobos.

2. presque aussi répandu et pernicieux même s'il n'est pas aussi ruineux que le premier travers: ils manquent d'ambition, d'intrépidité, d'imagination, et n'osent jamais prendre aucun risque, d'investir, si bien qu'ils vivotent au lieu de vivre selon leur plein potentiel.

Avec l'argent, suivez, comme les bouddhistes, la Voie du Milieu.

N'achetez que lorsque VOUS décidez d'acheter et ne laissez pas les autres, ne laissez pas Goliath décider à votre place, car ce serait les laisser décider pour toute votre vie.

Comme un bouddhiste, achetez modérément.

Jouissez constamment et longuement des objets que vous avez achetés.

Car vous aurez cultivé en vous le contentement qui fait défaut à tant de gens.

Oui, soyez comme un sage…

Qui ne s'attend pas naïvement à ce que tel ou tel objet lui procure le bonheur véritable.

Parce que le bonheur, il l'a déjà en lui, ou en tout cas il le cultive, il le recherche constamment comme il cherche constamment à faire le bonheur des autres.

Inspirez-vous du sage, et de sa capacité remarquable de retarder le moment d'acheter, si mystérieuse pour les autres, si simple pour lui: il sait que ce ne sont pas les objets qui procurent le bonheur mais sa seule disposition d'esprit.

Alors pourquoi en hâter l'achat?

Il préfère épargner, ne pas céder à la (fausse) gratification instantanée.

Il préfère investir pour se dispenser de devoir travailler comme un esclave jusqu'à la fin de sa vie: il engrange de la liberté future.

Et de la tranquillité d'esprit.

Car à la vérité, quel bien est plus précieux que la tranquillité d'esprit?

Et surtout, de quel bien, de quel privilège, de quelle richesse, même immense, peut-on jouir, lorsqu'on n'a pas cette tranquillité d'esprit?

Et comment la conserver lorsqu'on est criblé de dettes, poursuivi par ses créanciers et constamment obligé de prendre les bouchées doubles pour survivre?

Parfois, certains noëls, je suis un peu triste de voir le cirque du déballage de cadeaux.

Les enfants, surexcités, se précipitent vers le sapin joliment décoré, déballent furieusement leur premier cadeau, qu'ils regardent à peine et souvent ne se donnent même pas la peine de tirer de sa boîte, car ils sont trop impatients de déballer le suivant, forcément plus intéressant parce qu'il n'est pas encore... déballé!

C'est en somme de la déception post-achat en accéléré.

Qui ressemble, quand on y pense, à celle que les enfants vivront une fois adultes.

Sauf que, comme ils sont encore des enfants, une fois les cadeaux déballés, ils les laissent en général de côté et vont jouer ensemble.

Nous, on retourne travailler!

Pour payer les jouets (d'enfants et d'adultes) qu'on vient d'acheter à crédit!

Chapitre 4

Libérez-vous des fausses obligations (elles le sont toutes... ou presque)!

La majorité des gens sont débordés, vivent dans un état constant de stress, au bord du burn-out et de la dépression, ont l'impression de vivre à moitié, même s'ils prennent toujours... les bouchées doubles!

Ils le disent eux-mêmes à la fin de chaque journée, de chaque semaine: « Je n'ai pas fait la moitié de ce que je « devais » faire! »

J'en envie de leur dire: heureusement!

Oui, heureusement que vous n'avez pu faire que la moitié de ce que vous « deviez » faire, parce que si vous aviez tout fait, vous seriez probablement mort à l'heure où on se parle parce que vous vous plaignez déjà d'être... à moitié mort!

D'ailleurs, il n'y a pas que les gens qui ont des difficultés financières qui sentent le besoin de prendre les bouchées doubles. Bien des gens riches que je connais disent: « Pour le moment, je n'ai pas le temps de prendre souvent des vacances parce que je suis trop occupé à faire de l'argent, mais plus tard, je vais me la couler douce... »

Illusion hélas trop répandue...

Parce que bien souvent, ce moment où ils pourraient se la couler douce n'arrive pas ou il arrive trop tard: pas facile de visiter les grandes capitales d'Europe en corbillard ou en fauteuil roulant!

Je suis d'ailleurs persuadé que la plupart des gens, lorsqu'ils arrivent de l'autre côté, admettent qu'ils ont été pris par surprise par la Grande Faucheuse (c'est un autre nom de la mort : nous en général, on est les grands fauchés) !

Oui, ils sont probablement surpris, même quand ils ne sont pas morts de mort violente : ils croyaient… avoir plus de temps !

D'ailleurs même les gens à la retraite sont parfois encore débordés, n'ont pas une minute à eux, ont encore une foule… d'obligations !

Quel mot épouvantable, si on y pense, surtout pour un retraité : des obligations… qui remplissent toutes leurs journées, des journées qui ne sont plus si nombreuses, parce que, évidemment l'heure du grand voyage approche à grands pas…

Ainsi j'ai un charmant ami de 70 ans, à la retraite depuis longtemps, avec qui je joue parfois au golf.

La dernière fois, nous avons pris sa voiture pour nous rendre au club. En montant dans sa Jaguar XJ12 – il a toujours aimé les belles choses ! – il m'a expliqué qu'il avait établi un trajet bien spécifique, de chez lui jusqu'au terrain, qui lui permettait d'éviter trois stops et deux feux de circulation, et qu'ainsi il « sauvait » trois minutes.

« Fascinant ! » me suis-je empressé de lui dire poliment en esquissant un demi-sourire.

Car honnêtement je ne vois pas ce que cet ami à la retraite peut bien faire de ces trois minutes « sauvées » puisque, en principe, il a tout son temps à lui car non seulement il est à la retraite mais il est indépendant de fortune… (D'accord, vous aviez deviné puisque je vous ai dit qu'il conduisait une Jaguar) !

Bon, ce n'est pas si grave, me suis-je fait la réflexion, vieille habitude d'un homme qui a passé sa vie dans les affaires et qui ne peut – ou ne veut – se libérer de ce carcan…

Ce serait un crime bien véniel, une manie inoffensive de vieille personne (les jeunes souvent ne valent pas mieux, remarquez !) que de vouloir « économiser » trois minutes. Mais ce jour-là, ô horreur ! il y avait des travaux de réfection des voies et chaussées, si bien qu'il fut impossible à mon vieil ami d'emprunter son astucieux trajet. Ce contretemps (contre… temps, c'est le cas de le dire !) le plongea dans une rage qui ne fut certainement pas la meilleure médecine pour l'ulcère d'estomac qu'il « cultive », ai-je envie de dire, depuis des années…

Sur le terrain de golf, cet ami soucieux à l'extrême de son temps (et de celui des autres, vous allez voir car en général cette manie est une médaille à deux faces: à deux grimaces, serait-il plus juste de dire!) eut une autre « attaque » de gestionnite.

Gestionnite: inflammation aiguë de la tendance à gérer son temps, – et celui des autres – qui conduit à toutes sortes de troubles de l'humeur et vous fait finalement perdre plus de temps que vous n'en sauvez!

Au cinquième trou, (du parcours Bleu à Laval-sur-le-Lac) deux de mes partenaires expédièrent leur balle dans le boisé qui protège ce « dogleg » à gauche. Seuls les très longs cogneurs (précis par-dessus le marché) peuvent le défier avec succès, mais comme chacun sait, c'est une erreur mentale commune au golf de croire qu'on frappe plus fort qu'en réalité si bien qu'on prend souvent « un bâton de moins », comme on dit dans le jargon de ce sport.

Courtoisement, je les ai aidés à chercher leur balle. Lorsque, quelques minutes plus tard, je suis arrivé à ma balle, que j'avais sagement frappée à droite, avec un bois 5 au lieu d'un driver, parce que, j'oubliais de vous le dire, il y a un étang à droite, (pas facile, ce cinquième trou, décidément!) j'ai pris mon temps pour évaluer mon approche: le vent soufflait d'une manière capricieuse et le vert du cinquième est sévèrement ondulé, et bien entouré de trappes.

«On retarde! » me lança mon vieil ami.

Je me retournai vers le tertre de départ du cinquième qui était désert. Laval-sur-le-Lac est un « véritable » club privé et parfois on n'y croise âme (ou joueur) qui vive pendant 4 ou 5 trous, surtout si on joue tôt le matin, je veux dire avant 8 heures.

«Il n'y a personne sur le tertre, ai-je objecté.

– On retarde quand même! » a-t-il insisté.

Les deux trous précédents, j'avais réussi la normale. Et comme je ne joue pas souvent je préfère prendre un peu plus mon temps pour chaque coup, ce qui, en général, en bout de ligne, fait épargner du temps car on joue mieux, donc moins de coups.

Je ne voulus pas lui faire remarquer que ses reproches étaient un peu injustifiés car j'avais aidé nos deux partenaires à chercher leur balle, des Nike à 6 dollars qu'ils croient pouvoir frapper aussi loin que Tiger Woods.

Mais un peu pour lui faire la leçon, un peu parce que je n'aime pas me sentir bousculé lorsque je suis supposément en train de m'amuser et non pas de travailler, j'ai ramassé ma balle, je l'ai serrée tranquillement dans mon sac et j'ai avoué :

« C'est vrai que je retarde. Je vais aller vous attendre au chalet en prenant une bière. Vous m'écrirez des normales pour tous les trous qui restent ! »

Mon vieil ami a compris la leçon. Du moins pour cette ronde qu'il m'a prié de compléter en sa compagnie.

Je sais qu'il y a une étiquette au golf, qu'on ne doit pas retarder le jeu.

Au club où je joue, on demande aux membres de compléter leur ronde en moins de quatre heures quinze. Une règle un peu mystérieuse si on considère que jouer au golf est supposément un plaisir. Il faut croire que c'est vilain de... faire durer le plaisir ! (J'espère que cette remarque anodine ne me vaudra pas une réprimande semblable à celle que valut à un membre d'Augusta National un commentaire critique au sujet d'une fosse de sable : on la fit réparer et déposa dans son casier une facture de... 30 000 $).

Oui, la plupart des golfeurs se font une gloire de jouer rondement leur ronde de golf. Et il n'est pas rare d'entendre un golfeur se vanter d'avoir complété sa partie en quatre heures avec autant de fierté que s'il venait de courir le marathon de Boston en moins de deux heures !

D'accord, il y a une étiquette au golf, et les joueurs vraiment lents sont détestables, mais quand même...

On dirait que, prendre son temps, ce n'est pas bien.

Et ne rien faire, alors là, c'est un véritable crime contre l'humanité !

Il faut que chaque minute soit employée, chaque heure bien remplie, (avec un petit « background » de télé, S. V. P. , pour être sûr de ne pouvoir entendre l'effroyable silence entre deux coups de téléphone !) sinon, ce serait grave, on pourrait être obligé de... penser, on pourrait être obligé de simplement profiter du temps qui passe !

Mais justement, le temps, il ne peut pas nous passer comme ça sous le nez, sans permission de notre part, il faut tout contrôler, sinon c'est bien trop angoissant…

Mais vous, ressemblez-vous à mon vieil ami golfeur ?

Êtes-vous constamment sur « une mission » ?

Cherchez-vous à « sauver » trois minutes, et si vous échouez, entrez-vous dans une colère sans nom qui vous détruit l'estomac à petit feu ?

Avez-vous peur de « retarder » ?

Quel golfeur invisible vous suit, qui vous oblige à aller toujours vite, à ne jamais prendre votre temps, à ne jamais pouvoir relaxer même sur un terrain de golf où en principe vous êtes censé décompresser ?

Cherchez-vous toujours à sauver du temps, à aller plus vite même lorsque vous êtes en vacances ?

Oui, on se laisse enchaîner par ses obligations.

Parce que ne rien faire, c'est pas bien.

Faites-en l'expérience.

Recevez un ami (ou une amie) invitez-le (la) à s'asseoir, et ensuite ne faites rien, ne dites pas un mot, soyez simplement en sa compagnie. Et voyez le malaise qui se dégage presque immédiatement, surtout si « la reine du foyer » moderne n'est pas présente : je veux dire la télé allumée devant vos esprits éteints. « À quel jeu voulez-vous jouer ? », vous demandera-t-on, irrité par ce silence intempestif. « Quel test voulez-vous m'imposer ? »

Pourtant ma fille de six ans se livre souvent à cette « activité » avec une de ses amies de six ans…

Le matin, avec ma femme, je la conduis au coin de la rue où elle prend l'autobus scolaire. Elle court avec sa copine, et parfois elle s'assoit avec elle sur un talus ou sur un banc de neige, et elle reste dix, quinze ou vingt secondes à ne rien faire…

Vingt secondes, c'est beaucoup pour une enfant : l'équivalent de quatorze minutes pour un adulte. Hein ? Quatorze minutes ? Mais non, je plaisante, je voulais juste vérifier si vous étiez attentif. Oui, adorables fillettes et philosophes profondes sans même le savoir, elles restent à ne rien faire, sinon que de sourire…

Elles n'attendent même pas l'autobus, trop fines mouches pour perdre leur temps à cette tâche banale qu'elles nous ont déléguée à nous, raisonnables parents.

Les joues rouges, l'œil clair comme l'aube, elles ne parlent pas, ne font rien, elles respirent le bon air, simplement heureuses d'être ensemble, simplement heureuses d'être.

Oui, elles prennent du bon temps, elles ont du temps libre, elles. Et nous qui sommes supposément plus intelligents que les enfants, qui avons l'« expérience de la vie » (c'est du joli !), des diplômes, elles nous font la leçon. Même, elles devraient être nos maîtres à penser ou nos maîtres à vivre, ce qui revient au même, car pour bien vivre, il faut bien penser.

Oui, ma fille de six ans, que je crois éduquer, c'est elle qui m'éduque.

Quand par exemple, il y a à peine un an, elle prenait encore une ou deux « longues » minutes pour attacher ses souliers. Elle avait découvert puis perfectionné une méthode bien à elle, différente de la méthode traditionnelle, une méthode « lente », bien sûr. Au début, je m'impatientais stupidement, et je lui proposais injustement de l'aider, de faire la boucle à sa place, la privant d'une joie immense car réellement elle dégustait cet instant de son apprentissage.

Et moi je lui répétais la phrase que les parents répètent sans doute le plus souvent à leurs enfants, juste après le sempiternel : « Ne touche pas ! » : « Dépêche-toi ! »

Oui, « dépêche-toi ! » qui est le déplorable mantra des parents, jusqu'à ce qu'ils réalisent que c'est eux qui devraient s'adapter au temps des enfants, parce que c'est un temps plus naturel, plus sain, le seul véritable temps : le temps présent.

Un jour, un disciple, qui était exténué, demanda conseil à son maître spirituel.

« Cours, cours, cours, jusqu'à ce que tu tombes, suggéra ce dernier.

– Mais… demanda le disciple interloqué, n'est-ce pas un conseil… ? »

Il n'osait dire: stupide ou paradoxal.

Le maître, devinant sa pensée, ajouta:

« C'est stupide, hein ? Pourtant c'est ce que tu fais, c'est ce que la plupart des gens font. Ils courent jusqu'à ce qu'ils tombent.

Toujours pressés, les gens manquent donc de temps, et arrivent pour la plupart au terminus sans avoir eu le temps de faire tout ce qu'ils avaient à faire.

Je crois même que la plupart des gens arriveraient stressés ou en retard à leur propre enterrement s'ils le pouvaient: seulement, ils ne peuvent plus ! Ils sont morts et enterrés: non pas encore, mais ça ne saurait tarder...

Ça me rappelle cette plaisanterie un peu facile d'un vieil ami qui menace son ami aussi vieux: « Je te préviens, si jamais tu ne viens pas à mon enterrement, je n'irai pas au tien ! »

Je suis sûr qu'il y en a plusieurs qui ont de si mauvaises habitudes, qui sont si aliénés que, même du haut du ciel, ils s'en font encore si leur corbillard est pris dans un embouteillage: s'ils le pouvaient, ils engueuleraient les automobilistes, ou encore la municipalité, pesteraient contre le mauvais temps, crieraient à leur chauffeur: « Allez, manie-toi, si j'arrive en retard à mon propre enterrement, qu'est-ce que les gens vont penser, que je manque d'organisation, que ma famille ne sait pas faire les choses comme il faut ! »

« Relaxe, doit leur dire leur ange gardien, tu as de la chance, tu es mort, maintenant, ce n'est plus ton problème. Et puis pst ! soit dit en passant, je ne veux pas te chagriner, mais il faut bien que je te dise que la plupart des gens n'ont pas envie d'être à ton enterrement... Alors que ça dure moins longtemps, ça va juste leur faire plaisir. Et puis, si tu ne me crois pas sur parole, tu vas voir comment ils vont s'en aller vite, dès qu'il n'y aura plus de vin à la petite réception après l'enterrement. »

Alors arrêtez-vous un instant ! Non seulement un instant, mais... plusieurs instants par jour.

Et pendant cette pause, faites une chose que vous auriez dû faire depuis des années, si vous voulez enfin commencer à vivre avant de... mourir ! Et cette chose simple et pourtant devenue si rare de nos jours c'est...

CHAPITRE 5

Mettez: « Ne rien faire! » à votre agenda...

Si vous êtes dans la moyenne vous passez...

8 heures par jour à dormir...

8 heures par jour à travailler...

3 heures par jour à écouter la télé...

Ça fait déjà 19 heures...

Oui, 19 heures sur 24, déjà prises par seulement trois activités: dormir, travailler et écouter la télé...

Ne reste plus que 5 petites heures pour tout le reste...

Et de quoi ce reste est-il en général constitué?

Vous le savez autant que moi, mais revoyons-le ensemble...

Il y a le temps qu'on met à aller et revenir du travail, en général au moins une heure, dans le meilleur des cas, mais si vous habitez en banlieue et travaillez en ville, ou si vous habitez une grande ville comme Paris, Tokyo, Los Angeles ou New York, vous pouvez doubler ce temps!

Il y a le temps qu'on met à se nourrir (j'inclus là-dedans l'épicerie, la préparation du repas et la vaisselle, aller et revenir du resto) et je compte deux petites heures par jour, même si on mange vite – et mal...

Voilà 3 autres heures de bouffées!

On en avait déjà 19 de bousillées, si je puis me permettre l'expression, alors on est rendu à 22 heures...

Il nous reste donc 2 petites heures par jour pour faire tout le reste, pour s'acquitter de toutes les autres obligations, dont je ne dis pas qu'on ne tire pas un certain plaisir (surtout si on est philosophe ou adepte du zen, alors là, bravo!) mais qu'on est quand même... obligé de faire par définition, puisque ce sont des obligations (parfois même carrément des corvées!) et qui peuvent et finissent presque toujours par devenir harassantes à la longue.

Passons-les calmement en revue:

1. s'occuper de la maison: entretien, réparations, rénovations, achats reliés comme draperie, tapis...
2. répondre à son courrier (électronique ou autre), au téléphone, retourner ses appels, accepter de répondre cinq minutes à un stupide sondage téléphonique pour finalement donner son congé au sondeur qui abuse de votre temps en lui expliquant que, de toute manière, vous êtes en train de préparer le souper: d'ailleurs pourquoi diable appellent-ils toujours à cette heure!
3. payer ses comptes, aller à la banque, faire sa comptabilité, perdre quinze minutes à expliquer au préposé d'une carte de crédit que vous n'avez pas fait tel achat dont les frais figurent pourtant sur votre relevé mensuel, puis le mois suivant devoir passer quinze autres minutes au téléphone pour contester l'intérêt que la compagnie vous a quand même facturé même si l'achat a été contesté avec succès, faire ses impôts, s'occuper de ses placements...
4. s'occuper de son conjoint, de ses enfants (parfois malades), à qui on doit donner les bains, faire les lunchs et faire faire les devoirs quotidiennement, qu'on doit conduire et récupérer à la garderie ou l'école ou chez les petits amis, emmener aux cours de danse ou aux parties de hockey, sans compter le chien qu'il faut nourrir, promener, (manière polie de dire: faire chier et mettre sa merde dans un sac de plastique dont on doit disposer!) conduire régulièrement chez le vétérinaire, qui abusera de votre sentimentalité pour vous soulager sans vergogne d'une centaine de dollars que vous n'avez pas et devrez mettre sur votre carte de crédit...

5. aller chez le médecin, le dentiste, pour soi ou les enfants ou son conjoint, aller chez le phytothérapeute ou le psychologue ou le psychiatre, pour soi, ou les enfants ou… le conjoint qui est fou, ou en train de le devenir, parce qu'il se sent étouffé par… ses obligations, ou que vous vivez à New York ou avez trop vu de films de Woody Allen!
6. s'occuper de la voiture (et parfois aussi de celle du conjoint), vidange d'huile, de pneus, débosselage parce que vous avez «poigné» les nerfs dans un embouteillage et avez freiné trop tard pour éviter le «con» qui a freiné trop brusquement devant vous ou que, en retard pour un rendez-vous (parce que vous n'êtes pas parti à l'avance!), vous avez tenté témérairement, pour ne pas dire stupidement, de vous garer dans un espace qui ne pouvait recevoir qu'une mini Cooper, alors que vous conduisez une Van qui n'a de mini que le nom: résultat, vous avez égratigné deux ailes, la vôtre et celle de cet autre «con» qui avait mal garé sa voiture! Parce que vous êtes parti à la dernière minute, vous allez perdre une demi-heure à faire un constat à l'amiable, vous allez arriver en retard à votre rendez-vous que vous devrez reporter, puis vous perdrez quatre ou cinq heures à faire débosseler votre bagnole, sans compter que vous venez peut-être de perdre un client parce qu'il déteste attendre: il est impatient et stressé comme tout le monde! Ouf! Appelez ça l'effet domino automobile!
7. faire du réseautage, aller à la chambre de commerce, suivre des cours de perfectionnement pour son travail…
8. s'acquitter des obligations familiales («Familles, je vous hais!» Gide) anniversaires, baptêmes, mariages, avec parents, beaux-parents, frères et sœurs, beaux-frères et belles-sœurs, sans oublier les ex, visites à l'hôpital: dans les grosses familles, ça peut presque devenir un job à temps plein…
9. faire du shopping pour les vêtements des différentes saisons, pour soi ou les enfants, sans oublier la recherche désespérée du gant perdu, ou du foulard égaré, le matin, avant de courir jusqu'à l'arrêt d'autobus scolaire…

10. ah ! oui, j'oubliais, last but not least, dernier et non le moindre, faire l'amour !

J'ai placé cette... obligation, – le mot est fort mais puisqu'il s'agit de devoir conjugal ! – un peu à dessein en fin de liste, parce que, hélas, c'est ce que bien des couples établis finissent par faire. Pas étonnant, dès lors, qu'ils déplorent le fait d'être trop fatigués pour le faire, puisqu'ils le font en dernier et par conséquent le font rarement... ensemble, et finissent par le faire avec une autre personne, ce qui crée d'autres obligations, dont celle d'acheter des condoms, du moins s'ils ne sont pas complètement morons, et de passer des heures à peaufiner leurs alibis et leurs mensonges, à acheter des cadeaux supplémentaires et « spontanés » à leur conjoint pour étouffer sa méfiance : c'est le charme d'une double vie ! Ouf...

Ça en fait des choses à faire en deux heures, oui, en deux petites heures !

Et ça laisse peu de temps, pour... pour tout le reste qui est censé être amusant, grisant, mémorable, relaxant, qui est censé être le fruit, le trophée bien mérité de milliers d'années de civilisation : la tant attendue société des loisirs !

Oui, ça laisse bien peu de temps pour la récompense bien méritée de tant d'efforts, de tant de travail, de tant de corvées, de tant d'obligations courageusement acquittées...

Peu de temps pour aller... au ciné, au théâtre, au resto, dans un café, une librairie, une classe de yoga ou de tai chi, au gym ou à la piscine...

Peu de temps, pour aller se faire donner un bon et long massage, une manucure, une leçon de golf pour se débarrasser prestement de sa « slice » avant le début de la saison, ou tout simplement (ce serait le rêve, la réalisation du fantasme ultime !) pour... NE RIEN FAIRE !

Oui, simplement N-E R-I-E-N F-A-I-R-E, mais le faire quand on veut, le faire avec un plaisir infini, le faire en prenant son temps, le faire en en goûtant chaque instant, parce que c'est un plaisir rare, mieux encore parce que ça fait une éternité qu'on n'a pas goûté à cette joie, à ce délice, à ce privilège réservé aux enfants ou... aux millionnaires paresseux : NE RIEN FAIRE...

Et ne pas se sentir mal de le faire...

Se sentir juste un peu mal pour les autres, les pauvres (c'est le cas de le dire !) qui ne connaissent pas ou ne connaissent plus cette joie, qui s'en privent, par leur faute au fond, par manque d'originalité, par esprit grégaire, parce que tout le monde autour d'eux s'en prive, en somme, et s'en porte bien, ou plutôt mal pour dire la vérité, parce que, depuis l'âge de raison, ou en tout cas l'âge adulte, ils se sont laissés submerger par leurs obligations, qui étaient fausses au départ, pour la plupart, et pas vraiment... obligatoires, si je puis dire, mais le sont devenues à force d'y croire, à force de s'y soumettre, et qui ont fini par faire d'eux des machines, d'ailleurs de moins en moins efficaces à... s'acquitter d'obligations !

Est-ce un mystère dès lors que ces machines soient de plus en plus dépressives et aient de plus en plus de ratés, et aient de plus en plus besoin de psy, de Prozac, d'alcool et de pot et d'ecstasy (parce que l'extase, justement, ils ne la connaissent plus dans leur vie !) pour continuer de fonctionner ?

Non !

Parce que ces machines ne sont pas programmées pour NE RIEN FAIRE...

Elles n'ont même plus le temps d'avoir la « sainte paix », pour pouvoir aller aux toilettes sans se faire interrompre, parce que, oui, même ce que vous croyiez être l'ultime refuge de la solitude moderne (pauvre naïf !) ne tient plus lorsque vous vivez avec ces petits iconoclastes qu'on appelle des enfants et qui poussent sans hésitation la porte de la salle de bains pendant que vous êtes en train de... tenter de faire ce que votre patron vous fait, pour vous demander de venir récupérer le ballon que le petit frère leur a volé, ou pour leur faire une tartine de Nutella : comme c'est approprié !

Oui, ne rien faire, flâner, s'asseoir sur un banc et observer le mouvement poétique des nuages, les rondes des enfants, l'eau claire d'un ruisseau, ou, sur une plage, la mer, toujours recommencée, ou les mouvements gracieux des baigneuses !

Tout simplement vous occuper de... VOUS !

Avoir du temps pour... VOUS !

La personne que vous avez perdue de vue, et que vous aimeriez retrouver avant qu'il ne soit trop tard...

Oui, votre liste d'obligations vous laisse deux petites heures, et pourtant, ce régime terrible, c'est ce que la plupart des gens s'imposent chaque jour sans compter que certaines personnes ont deux – ou même trois ! – emplois, deux familles, parce qu'ils sont divorcés, et parfois même, une maîtresse ou un amant, (ou les deux, soyons modernes !) parce que leur partenaire officiel ne prenait pas... le temps de s'occuper d'eux !

Je ne sais pas si vous êtes comme moi, mais juste le fait de relire cette liste d'obligations... m'épuise !

Et je sais que cette liste n'est même pas exhaustive...

Que vous pourriez y ajouter bien des choses, d'ailleurs vous êtes habile à ce sport...

En tout cas, pas étonnant que tout le monde se sente débordé, épuisé, irritable...

Bien sûr, me direz-vous, restent les week-ends...

Mais bien des gens y arrivent épuisés, si épuisés qu'ils ont juste envie de se coucher jusqu'au lundi suivant, ce que parfois ils font : on appelle ça une cure de sommeil et c'est devenu le fantasme de bien des gens !

Mais en général ils ne peuvent s'offrir ce luxe, de simplement rester au lit pendant deux jours sans être malade pour autant (dommage, non ?) ils ne peuvent pas parce qu'il y a toute la liste des obligations, sans compter celle de... passer au travers du dossier qu'ils ont apporté à la maison !

Sans compter qu'il y en a qui travaillent carrément le week-end, ou en tout cas le samedi...

En fait, en général, le week-end sert non pas à se reposer ou à jouir de la supposée société des loisirs, mais à faire tout ce qu'on n'a pas pu faire pendant la semaine, parce qu'en deux heures, c'était forcément impossible...

Bien sûr, votre conjoint peut vous aider, mais parfois aussi sans le vouloir, il vous « crée » du travail supplémentaire, pas seulement parce qu'il laisse la lunette de la toilette levée, qu'il oublie de remettre le bouchon sur le tube de dentifrice ou la bouteille de shampoing, ou bouche le drain de la douche avec ses longs cheveux, pas seulement parce qu'il est un grand créateur de... désordre, (comme d'autres sont artistes... dans l'âme) !

Oui, votre conjoint vous « crée » du travail, parce qu'il vous a emprunté votre trousseau de clés, la veille, parce qu'il ne trouvait pas le sien, et qu'il était trop pressé pour le chercher, parce qu'il était déjà en retard et il est parti en coup de vent ce matin, parce qu'il était une fois de plus déjà en retard, – c'est chronique chez lui, sauf au lit, mais ça, c'est une autre histoire !

Et maintenant, c'est à vous de ne plus trouver vos clés, et de vous demander comment vous allez faire pour arriver à temps à ce rendez-vous important pour lequel vous êtes déjà en retard... à cause de LUI ! Que vous vous empressez d'appeler sur son cellulaire que, à votre agréable surprise, vous entendez sonner dans le vestibule : vous vous précipitez, certaine qu'il n'est pas encore parti, mais non ! Il a simplement oublié son cellulaire à la maison !

Puisque vous êtes dans le vestibule, vous fouillez fébrilement toutes ses poches à la recherche de VOS clés. Enfin, de guerre lasse, vous prenez un taxi, ce qui vous fait commencer la journée avec une dépense inutile de 15 $!

Ou encore – moi je ne le fais jamais mais il paraît que ça se fait ! – il n'a pas remis à sa place la télécommande et vous perdez dix minutes (et votre bonne humeur !) à la chercher et lorsque vous la trouvez, vous vous rendez compte qu'il n'a pas pris le temps de changer les piles, et vous, oui, encore VOUS, vous allez les remplacer par des piles qui... sont à plat (comme vous !) parce que votre conjoint – encore LUI – n'a pas pris le temps de jeter les vieilles !

Et ça vous met alors dans une rage qui ressemble à la rage automobile et vous fait perdre le contrôle, parce que votre contrôle à distance ne fonctionnera pas de la soirée : si vous ne me croyez pas, essayez d'écouter la télé sans lui...

D'ailleurs je me demande comment faisaient les pauvres cons pour écouter la télé avant son invention ! Je me demande d'ailleurs comment les gens faisaient pour se distraire avant 1953, pas parce que c'est l'année glorieuse de ma naissance, mais parce que c'est à peu près l'année où la télé a commencé à faire perdre aux gens le sixième de leur vie !

D'après moi, ils devaient être obligés de lire *Le Rouge et le Noir* de Stendhal, d'écouter du Bach ou de passer du temps avec leurs amis ou leurs enfants, les pauvres !

Bon, revenons au couple – on y revient toujours et ne se sépare que pour avoir plus de temps libre pour se demander avec qui on pourrait se remettre... en couple !

Un couple, c'est connu, ça demande du temps : il faut en faire l'entretien, la « maintenance », pour parler en bon français, il faut en parler, en faire la glose, la psychanalyse, la thérapie (de couple, justement !) :

« Chéri, j'aimerais qu'on parle de notre couple ! »

Vous avez déjà entendu ça, non, et vous savez que ça prend du temps ? Il faut aussi réparer, s'il y a lieu, les pots cassés dans le couple, colmater les inquiétantes brèches, et si on parle d'infidélité ou de divorce à l'horizon, là il y en a pour des lunes : bonne chance avec votre agenda des prochains mois !

Oui, il faut prendre le temps de s'occuper de son couple, sous peine de le voir se dessécher et mourir, car comme disait Bouddha, rien ne subsiste sans nourriture, et le couple n'échappe pas à cette loi universelle.

Et si on pense aux mères monoparentales, qui ne peuvent compter sur l'aide (pas seulement financière !) d'un conjoint – d'un conjoint qui comprend la nécessité d'un partage équitable des tâches ! – pas étonnant que plusieurs d'entre elles soient au bord de la dépression et aient des idées suicidaires...

Bon, revenons à notre emploi du temps...

Nous venons de brosser à grands traits une image de votre emploi du temps typique, avec tout le cortège des obligations.

J'ai eu envie de dire cortège « funèbre » des obligations parce que la plupart des gens ont des têtes d'enterrement...

Maintenant, soyons sérieux, faisons un travail utile, prenez quelques heures de votre précieux temps, (boudez la télé un soir, un seul soir, est-ce trop vous demander ?) pour brosser le portrait de votre semaine type, avec vos obligations les plus courantes…

Puis, avec ce portrait en main, posez-vous une question essentielle…

Chapitre 6

Avez-vous peur de vous arrêter?

Vous sentez-vous angoissé dès que... vous ne faites rien, dès que vous vous arrêtez?

Comme le demande un kôan japonais: «Que faites-vous lorsqu'il n'y a plus rien à faire?»

Travaillez-vous constamment, sans relâche, du matin au soir, pour vous sentir important?

Ça ne m'étonnerait pas.

Parce que neuf fois sur dix quand on croise dans la rue quelqu'un qu'on connaît et qu'on n'a pas vu depuis longtemps, (trop occupé!) et qu'on lui demande: «Comment ça va?», il nous répond:

– Ça va bien, je travaille dur!»

Et il le dit avec un large sourire, quasiment comme s'il venait de gagner le prix Nobel ou le gros lot à la loterie.

Et pour ne pas l'inquiéter, ou pour ne pas le traumatiser, on répond:

«Good. Moi aussi je travaille dur.»

Oui, on se sent important quand on est occupé, et une des raisons en est sans doute que la société nous fait sentir qu'on ne l'est pas quand on ne court pas à gauche et à droite comme un chien fou.

Vous, quand vous ne faites rien, quand vous êtes seul avec vos pensées, sans télé, sans musique, sans journal, sans ordinateur, seul: vous sentez-vous envahi par un sentiment de vide, pire encore par une angoisse existentielle quasi insupportable?

Si vous travaillez tant d'heures, si vous courez constamment, n'est-ce pas plutôt parce que vous avez une peur maladive (qui du reste si vous continuez vous rendra vraiment malade!) de vous retrouver face à face avec vous-même?

Face à face avec vos angoisses, vos peurs, vos complexes que vous oubliez pour un temps dans le feu ininterrompu de l'action?

Mais si vous n'osez jamais affronter vos problèmes véritables, comment finirez-vous par les régler un jour?

Avez-vous peur de vous arrêter?

Mais peut-être avez-vous peur de prendre des vacances pour des raisons plus prosaïques…

Parce que, par exemple, vous êtes cadre d'une compagnie, petite ou grande, et vous craignez que, si vous vous absentez trop longtemps, genre plus d'une semaine (deux semaines, n'y pensez même pas ce serait carrément suicidaire!) on pourrait en venir à penser que vous n'êtes pas indispensable, que vous êtes «disposable», comme ils disent en anglais, c'est-à-dire qu'on peut vous «trasher», vous remiser, vous remercier?

Oui, si on se rendait compte que la boîte peut rouler rondement deux semaines sans vous…

D'ailleurs pour être sûr que ça ne se produira pas, vous vous rendez disponible sept jours sur sept, et presque jour et nuit, et même en vacances en permettant à votre patron ou à vos collègues de vous joindre sur votre cellulaire, par Internet, au chalet, à la plage, partout!

Mais à la vérité, la phobie du travail est si répandue qu'elle fait des ravages même chez ceux qui ne sont pas menacés de perdre leur emploi.

Ainsi j'ai une bonne amie qui enseigne à l'université et qui donc en principe a la… sécurité d'emploi.

Elle donne une douzaine d'heures de cours par semaine, a quatre mois de vacances par année, écrit des articles pour rester visible dans la communauté intellectuelle, et pourtant elle travaille au moins 65 heures par semaine, et ce, même si elle enseigne depuis dix ans et qu'en principe la préparation de ses cours est déjà faite…

En fait, cette amie est moins libre que le président des États-Unis, et ce n'est pas une image!

Par exemple, elle refuse toujours mes invitations pour golfer alors que lui, paraît-il, joue tous les week-ends.

En fait elle n'a jamais une minute à elle, pas le temps de faire du sport, et ne prend pour ainsi dire jamais de vacances même si ses étudiants en prennent, et de fort longues!

N'est-ce pas le monde à l'envers?

À quoi bon avoir étudié quinze ou vingt ans si c'est pour être esclave, si c'est pour avoir si peu de liberté?

Parfois je me dis que cette bonne amie (qui est mauvaise avec elle-même, ce me semble!) ne croit pas qu'elle mérite de prendre du bon temps, de prendre des vacances, et que c'est là que réside le vrai problème.

Parce que si le président des USA a le temps de jouer au golf, en principe tout le monde devrait avoir le temps, car il a le job le plus stressant et le plus accaparant de la planète…

Vous, êtes-vous plus occupé que le président des États-Unis?

Vos tâches sont-elles si importantes que vous ne pouvez jamais vous arrêter, que vous n'avez pas le temps de jouer au golf ou de prendre des vacances?

Et si vous travaillez autant, n'est-ce pas au fond parce que vous craignez de perdre votre place?

Mais n'est-ce pas là le symptôme d'un problème psychologique plus profond, plus ancien, un manque de confiance en vous, en votre valeur, que vous devriez régler avant de tomber d'épuisement parce que vous êtes toujours au front?

Oui, avez-vous peur de vous la couler douce, de profiter de la vie?

Parce que, par exemple, votre père a toujours travaillé fort, très fort, jusqu'à en tomber malade, et si vous faisiez dix fois, cinq fois, ou même seulement deux fois plus d'argent que lui en travaillant deux fois moins fort, vous vous sentiriez inconfortable…

Vous vous sentiriez littéralement comme un voleur, un imposteur?

Si vous aviez une vie facile, une vie faite de voyages, de vacances et de temps libres en abondance, vous vous sentiriez coupable ?

Avez-vous peur de vous arrêter ?

Chapire 7

Pour arriver à l'heure, partez... en avance! (sauf si vous êtes accro au stress)!

J'ai eu, il y a quelques années, un agent, appelons-le Guy, – d'ailleurs c'est son nom! – qui était un accro au stress.

Au début, je ne le savais pas.

Quand nous devions prendre l'avion pour Los Angeles ou New York, disons à onze heures le matin, il me demandait de passer le prendre à neuf heures trente.

Or, il fallait compter trente minutes pour aller de chez lui à l'aéroport.

Trente minutes... si tout allait bien, s'il n'y avait pas d'embouteillages ou d'accidents!

Et comme les compagnies aériennes nous demandent en général d'arriver une heure à l'avance pour les vols continentaux, c'était donc un peu juste... Il ne fallait pas que le moindre pépin surgisse...

Or, des pépins il y en avait toujours, et le premier, le plus courant, c'était que mon agent n'était pas prêt lorsque j'allais le cueillir!

Soit sa valise n'était pas encore bouclée, soit il était au téléphone, un téléphone important, bien sûr, et d'ailleurs il lui arrivait même de passer un autre coup de fil « important » pendant que je poireautais à l'attendre. Vraiment sympa!

Puis enfin nous partions, je devais faire des excès de vitesse, passer sur des feux vraiment jaunes, doubler dangereusement d'autres voitures, puis, à l'aéroport, je devais espérer que nous trouverions rapidement un espace de stationnement, ce qui n'est pas toujours évident par périodes de grande affluence, et enfin nous courions dans les escaliers roulants, espérions qu'il n'y aurait pas trop de retardataires comme nous au comptoir d'enregistrement, et enfin nous croisions les doigts pour que le douanier ne nous retarde pas trop : remarquez, une fois que vos bagages sont enregistrés, l'avion vous attend, mais enfin…

Je me suis rapidement rendu compte que mon agent adorait cette course contre la montre, qu'il était en fait accro au stress, car ça lui donnait l'impression d'être une personne occupée, une personne importante, en un mot de vivre !

Moi, ça me tuait !

Oui, cette course contre la montre me tuait, me tapait royalement sur les nerfs, gâchait ma bonne humeur à laquelle je tiens tant, car je me sentais esclave du temps alors que j'aime en être le maître (c'est « mon » temps après tout, que j'aime prendre comme je vous ai dit plus tôt) !

Oui, cette situation m'irritait, à telle enseigne que lorsque j'ai compris que les retards de mon agent n'étaient pas accidentels, que c'était son modus operandi pour le voyage, je lui ai dit : « Soit on part à l'heure que j'ai décidée, soit on se retrouve à l'aéroport… »

Le cas a été réglé.

Moi, tout à l'opposé, si j'ai un rendez-vous au centre-ville à midi, et que je dois compter une heure pour m'y rendre, je pars une heure quinze à l'avance…

Bon, je sais que les gens importants arrivent toujours en retard, ou en tout cas les derniers à une réunion et j'en soupçonne plusieurs de demander à leur chauffeur de faire un détour pour ne pas arriver à l'heure, pour soigner leur image, parce que ça fait important d'arriver en retard, du moins quand on ne risque pas d'être congédié…

Les politiciens le font toujours, qui sont débordés, vivent à deux cents à l'heure et qui, de ce fait, vieillissent aussi vite qu'ils renient leurs promesses ! Si vous ne me croyez pas, regardez les photos d'eux en début et en fin de mandat, si du moins ils se rendent jusque-là : ils sont transformés par le pouvoir et pas pour le mieux, et ne survivent souvent au stress de leur fonction que grâce aux miracles de leur médecin. Lisez à ce sujet le livre fascinant: *Ces malades qui nous gouvernent.*

Moi, je ne les envie pas, les politiciens, car je veux vivre vieux, et pour cela je veux... vieillir lentement!

Rien, il me semble, ne vaut la peine que je gâche ma bonne humeur ou que je fasse augmenter le nombre de palpitations de mon cœur en courant pour ne pas arriver en retard, sans compter qu'il paraît que, à la naissance, (c'est ce que disent les sages), on dispose d'un nombre prédéterminé (par le destin) de pulsations cardiaques en banque: à vous de les écouler au rythme (cardiaque) que vous voudrez! Intéressant, non, de savoir qu'on a voix au chapitre sur le nombre d'années qu'on vivra!

Oui, je m'efforce d'arriver à l'heure, mais sans avoir à courir, car alors je me sentirais un esclave, ou la victime de la personne qui m'a donné rendez-vous.

D'ailleurs, ne dit-on pas que la ponctualité est la politesse des rois...?

Politesse des rois ou pas, moi, ce que j'abhorre, c'est la course pour ne pas arriver en retard: je me hâte lentement, comme on dit.

C'est pour ça que j'essaie toujours de partir à l'avance, pour être à... l'avance ou tout au moins à l'heure, s'il y a des contretemps – et il y en a presque toujours.

Car j'ai remarqué que, de même que les gens avouent toujours un poids inférieur à leur poids véritable lorsqu'on le leur demande, de même ils évaluent presque tous mal le temps qu'il leur faudra pour se rendre au lieu de leur rendez-vous... Il y en a même qui, même s'ils savent qu'il faut compter un minimum d'une heure pour se rendre à leur rendez-vous, ne se considèrent pas vraiment encore en retard même s'ils ne sont pas encore partis une demi-heure avant!

Pourquoi?

Parce qu'ils ne savent pas gérer leur temps.

Moi, je m'y efforce car je sais que c'est une des clés essentielles du bonheur.

Alors je pars à l'avance.

S'il y a un contretemps, un peu plus de circulation, un accident, j'arrive malgré tout à l'heure. Et surtout je ne me suis pas fait de bile, au sens figuré et propre du mot ! Je ne suis pas entré dans cette « road rage » (rage de la route) qui, aux États-Unis, conduit chaque année à des meurtres étonnants.

D'ailleurs je me suis toujours demandé comment il se faisait que, le matin, les gens étaient si impatients, si contrariés dès qu'il y avait le moindre ralentissement, le moindre embouteillage sur la route. S'ils s'en faisaient parce qu'ils sont en train de se mettre en retard pour un rendez-vous galant, là, je comprendrais car il ne faut jamais faire attendre une femme, surtout si elle est jolie !

Mais qu'ils soient pressés d'arriver au bureau pour faire un travail... qu'ils n'aiment pas !

Un travail que, même, ils détestent...

Honnêtement, ça me dépasse.

Ça doit être le paradoxe de l'automobiliste !

Si on s'arrête à y penser, ils ressemblent un peu à mon agent, ces gens.

Ils ne sont pas accros au stress, certes.

Mais ils sont accros quand même.

Même s'ils n'oseraient jamais se l'avouer, ils sont accros à... la mauvaise humeur que ces embouteillages leur procurent !

Matin après matin !

Oui, ces embouteillage, il me semble, sont une sorte de dérivatif qui leur permet d'exprimer commodément leurs frustrations plus profondes, leur révolte, leur haine des autres, automobilistes ou pas, de l'univers tout entier, en somme, qui pourtant ne leur a rien fait, le pauvre, car il se contente d'être lui-même et de faire ce qu'il peut, ce qui ne doit pas être une sinécure, soit dit en passant, parce que l'univers, c'est énorme, et quand il a un problème ça ne doit pas être un petit problème ! Et pourtant, on ne l'entend jamais se plaindre...

Oui, je me dis que ces automobilistes enragés ne doivent pas... aimer leur femme, leur patron, ou leurs collègues, ou leurs clients, leur compte en banque, leur maison – leur vie en un mot ! – et ces embouteillages sont le prétexte tout trouvé pour l'exprimer par un concert matinal de klaxons, d'invectives et de doigts d'honneur!

Et pourtant, plus jeunes, sans travail et à pied, ils rêvaient du jour où ils auraient l'un et l'autre, c'est-à-dire, un job et une auto: ils les ont maintenant mais ils ont oublié qu'ils en rêvaient et désormais c'est... leur cauchemar quotidien!

Bien sûr, ce n'est pas tout le monde qui tue ou désire tuer au volant, je sais, mais, sans être médecin, j'imagine que tous les degrés de rage qui précèdent l'envie ou l'acte meurtrier n'envoient pas exactement dans notre sang des substances bénéfiques.

J'imagine que ces poisons taxent (tiens, une autre taxe!) notre tension artérielle, notre cœur et notre estomac, et qu'on prendrait peut-être moins de Prozac si on prenait plus notre temps, qui soit dit en passant est absolument gratuit, lui, et non taxable, du moins sous le présent gouvernement!

Un kôan japonais dit: «Nous nous tenons dans notre propre ombre, et nous nous étonnons qu'il fasse sombre.»

Vous, vous tenez-vous dans votre propre ombre?

Êtes-vous sans le savoir accro au stress?

Partez-vous toujours à la dernière minute, même si vous savez que vous allez alors vous mettre en retard et que pendant tout le trajet vous allez stresser parce que (et c'est vous-même qui le dites), vous... détestez arriver en retard!

Mais si vous détestez arriver en retard, pourquoi alors partir toujours à la dernière minute?

N'est-ce pas parce que vous avez besoin de cette adrénaline, comme vous avez besoin de la cigarette ou de l'alcool?

N'y a-t-il pas en vous un instinct d'autodestruction?

Cherchez-vous inconsciemment à vous en mettre trop sur les épaules, à surcharger votre horaire, si bien que votre niveau de stress est toujours élevé, presque au maximum?

Si c'est le cas, êtes-vous conscient que ce stress entre en vous comme le cheval de Troie, et que bientôt il causera votre perte, si vous ne faites rien?

Moi, en tout cas, je prends mon temps et surtout je pars à l'avance, précaution qui n'a rien de génial mais fonctionne quand même, – comme bien des gens qui ne sont pas géniaux et fonctionnent quand même : je ne sais pas comment ils font !

Je plaisante bien sûr : si j'avais du génie, il me semble que ça se saurait, depuis le temps que j'écris !

D'ailleurs ça me rappelle une anecdote.

Un jour, alors que j'étais invité à une conférence sur l'analphabétisme... (Est-ce ainsi que ça s'écrit ?), une dame se présenta au micro pour expliquer son drame car à vingt ans, elle ne savait pas encore lire. Je lui ai dit : « Si ça peut vous consoler, moi, même avec vingt romans à mon actif, il se trouve encore des critiques pour dire que je ne sais pas écrire ! »

Bon, donc je pars tôt pour mes rendez-vous.

En avance sur mon temps (un peu plus et je serai en avance sur mon époque !) je prends des... provisions de calme, une assurance sur ma bonne humeur !

Et c'est pour ça que les gens disent que j'ai l'air d'avoir tout mon temps.

Si, étant parti à l'avance, j'arrive effectivement quinze minutes trop tôt, je ne me sens pas diminué ou idiot pour autant, je ne stresse pas indûment. J'en profite par exemple pour me garer loin de mon lieu de rendez-vous et m'y rendre à pied.

Ces quinze minutes – délicieuses car pour ainsi dire volées à un agenda qui vole la vie de la plupart des gens ! – ... ces quinze minutes de marche impromptue me permettent non seulement de combattre l'embonpoint qui guette sournoisement tout romancier, mais de m'aérer le cerveau, de revoir mentalement ce dont je devrai discuter.

Ou encore, je me donne le droit (il ne faut pas être généreux seulement avec les autres !) de flâner, je respire le bon air, (enfin ce qu'il en reste en ville !), je m'assois à la terrasse d'un café bien fréquenté et observe les gens, un passe-temps et une partie du travail de tout romancier qui se respecte, je lis le journal.

J'en profite pour assurer calmement mes retours d'appels avec mon cellulaire au lieu d'avoir tenté frénétiquement de le faire avant de partir pour alors risquer de me mettre en retard et me stresser assurément.

Ce qui est d'ailleurs une autre des règles d'or pour gérer son temps comme un homme toujours en vacances et qui consiste à… changer l'ordre dans lequel vous accomplissez les tâches.

Oui, tout simplement, tout bêtement: changer l'ordre dans lequel vous accomplissez les tâches.

Faites-en l'expérience, et voyez la liberté, le calme que vous pouvez tirer de cette astuce toute simple.

Chapitre 8

Pourquoi je me rase dans ma voiture

J'ai deux rasoirs.

Un à la maison et un dans ma voiture.

Pourquoi ?

Ayant minuté savamment le temps qu'il fallait pour me raser, soit 3 minutes et demie et des poussières (ou plutôt des poils !), j'ai calculé que je sauvais environ 25 minutes par semaine, donc environ 1 300 minutes par année, donc une vingtaine d'heures en le faisant dans ma voiture.

Comme le temps de veille n'est que de 16 heures par jour en moyenne, les gens (sauf les barbus et les femmes) consacreront donc, s'ils se rasent pendant 50 ans, une soixantaine de jours de leur vie à se raser.

Rasant, non ?

Et c'est pour ça que je me rase en général dans ma voiture. Si je pouvais, je m'y brosserais aussi les dents, mais il me faudrait un évier et je crois que ce serait dangereux.

Ceux qui connaissent cette pratique un peu particulière me prennent pour un fou ou en tout cas un original, alors que je suis seulement… un homme qui aime avoir du temps libre et ne pas se presser… !

C'est pour une raison similaire que j'achète en général d'un seul coup, mais exclusivement s'ils sont à rabais, (quand même !) 15 ou 20 bouteilles de rince-bouche.

Je sais, ça ne fait pas vraiment simplicité volontaire, mais ça... simplifie ma vie!

Et ça me permet d'économiser pas seulement des sous, parce que le Listerine à plein prix, c'est cher, (je n'ai d'ailleurs jamais compris pourquoi: ça doit être pour faire plus de profits)!

Ça me permet aussi d'économiser du temps et de la frustration parce que je ne trouve pas spécialement fascinant d'aller tous les mois à la pharmacie pour refaire ma provision de rince-bouche, surtout quand la caissière, juste au moment où je vais payer, après avoir patiemment attendu en ligne pendant dix minutes, met sur son comptoir le petit signe: caisse fermée!

Pourquoi c'est toujours à moi que ça arrive!

Je sais que je peux passer pour un maniaque – inoffensif du reste – pour quelqu'un qui est obsédé par le temps...

Mais à la vérité, je tente juste de le gérer le plus astucieusement possible, d'accorder le moins de temps possible aux choses désagréables pour qu'il m'en reste le plus possible pour... les choses agréables!

D'ailleurs ma fille Julia a une astuce similaire pour gérer son répertoire de chaussettes: elle ne se soucie nullement, le matin, d'en mettre deux qui ne soient pas de la même couleur!

La trouvant sage, je me suis inspiré d'elle, pas en osant mettre deux chaussettes de couleurs différentes mais en achetant plusieurs paires de la même couleur car j'ai noté, tout comme vous sans doute, que je perdais souvent beaucoup de temps, – et de calme! – le matin, à trouver deux chaussettes appariées, et que lorsque je les trouvais enfin, souvent l'une d'elles était... trouée!

Se raser dans sa voiture a aussi d'autres avantages: c'est un geste humanitaire...

Voici comment.

Simplement parce que ça déride presque immanquablement les gens qui attendent tristement l'autobus au coin de la rue.

Lorsqu'ils me voient me frotter le menton ou le dessus de la lèvre supérieure avec un rasoir électrique, c'est presque automatique, leurs lèvres se plissent.

Il m'est arrivé, il faut dire, de passer près de provoquer une dispute de couple.

Un jour une jolie jeune femme attendait l'autobus en compagnie de son ami (enfin je suppose puisqu'elle le tenait par la main !). Elle me voit me raser, sourit, donne un coup de coude à son ami pour qu'il savoure lui aussi la scène : j'abaisse le bras prestement, il ne voit pas le rasoir, hausse les épaules, se détourne, sceptique.

Je me remets illico à me raser.

Elle lui donne un nouveau coup de coude.

Il se retourne plus vivement, j'abaisse le bras plus vivement. Et il regarde sa compagne avec l'air de dire : « Tu te paies ma tête ou quoi ! »

Mais à la fin, beau joueur, pour éviter le drame, je me rase longuement au vu et su de tout le monde ! Et la jolie jeune femme sourit triomphalement : une fois de plus elle avait raison, qu'il se le tienne pour dit.

Si je m'arrête à y penser, je ne suis pas si original…

Au fond, je n'ai fait (une fois de plus !) que… copier les femmes !

Elles ne se rasent pas dans la voiture, c'est sûr, à moins de s'être un jour appelées Georges, mais alors c'est une autre histoire…

Mais elles se… maquillent ! s'accommodant tant bien que mal du miroir trop étroit du pare-soleil, et de votre conduite douteuse ainsi que de vos arrêts trop brusques qui les obligent elles aussi à… s'arrêter et à vous regarder, pinceau en main, avec un sourire qui dit tout !

Surtout, ne dites rien, contentez-vous de sourire, de préférence avec un petit air coupable, même si c'est la route et non votre conduite qui est chaotique : ça ne ferait qu'envenimer les choses !

Oui, la femme a trouvé bien avant l'homme l'utilité de s'occuper de son visage dans une auto, et elle a d'ailleurs une très bonne excuse : elle a perdu une heure à se trouver une robe, ce dont vous ne vous êtes pas étonné le moins du monde parce que la première chose qu'elle vous a dite lorsque vous lui avez demandé de vous accompagner à ce cocktail peu prometteur c'est : « Je n'ai rien à me mettre ! »

Bon, j'ai calculé qu'il faut environ 3 minutes et demie pour se raser avec décence – et avec un rasoir électrique !

Avec celui à lames, c'est encore plus long, parce qu'il faut d'abord s'humecter le visage qu'on devra ensuite assécher...

Et parfois aussi, surtout avec une lame neuve, – mais la vieille rasait mal et vous n'avez pas tout l'avant-midi pour vous raser surtout que... vous êtes déjà en retard ! – ... oui, avec un rasoir à lames, souvent on se coupe, et on saigne et on doit tenter d'arrêter le sang avec une petite boule plus ou moins élégante de kleenex.

Et plus tard, au bureau, notre secrétaire, ou un collègue, se grattera à quelques reprises le menton devant nous, et on se demandera de quelle manie inélégante, de quelle démangeaison punitive il ou elle peut bien souffrir, jusqu'à ce qu'on se rende compte que c'est la petite boule de kleenex blanche, qui en fait est maintenant rouge, qui a déclenché ce geste humanitaire...

Faites l'exercice dans votre vie, et vous m'en direz des nouvelles...

En tout cas, si je vous vois un jour vous raser dans votre voiture, c'est promis, j'applaudis : je saurai que vous m'avez compris, ou en tout cas que vous m'avez lu !

Chapitre 9

Passez-vous votre temps à… « passer l'aspirateur » ?

Un jour, un sympathique vendeur d'Electrolux vint frapper à ma porte.

J'avais 22 ou 23 ans, je vivais seul, dans un appartement que j'adorais même s'il était fort modeste et ne me coûtait que 60 $ par mois… C'est vous dire mon âge !

Il était éclairé, cet appartement de cinq pièces du nord de Montréal, et vaste, et poétique à sa manière avec ses planchers de bois franc si inégaux que si j'avais échappé une bille à l'entrée, elle se serait retrouvée en moins de deux à l'autre bout de l'appartement, sans que j'aie à lui imprimer le moindre mouvement ; mais surtout cet appartement, c'était… mon premier appartement ! Qui reste presque toujours dans notre souvenir comme notre premier amour, même s'il ne paie pas de mine.

Ce jeune vendeur, – appelons-le Charles, d'ailleurs c'était son prénom ! – arrivait à point nommé, comme envoyé du ciel par l'ange exterminateur… de la poussière, car j'attendais une amie, enfin une jeune femme que je souhaitais voir devenir ma petite amie… !

Et comme je passais le plus clair de mon temps dans mes livres, – ceux que je dévorais et ceux que je tentais maladroitement d'écrire – mon appartement accusait, je l'ai dit, un certain laisser-aller.

Me montrant volontairement sceptique devant l'efficacité de l'aspirateur dont Charles venait de me vanter les innombrables mérites, je dis :

« Votre appareil me paraît d'une puissance formidable certes, mais peut-il avaler ces rouleaux de poussière le long des murs de mon living-room ?

– Sans problème. »

Et le voici qui me fait avec zèle une démonstration, ma foi fort concluante.

Mais pour ne pas gâcher son plaisir en rendant sa vente trop facile, je joue le même petit jeu pour la poussière de mon bureau. Il s'exécute avec le même brio.

« Bon, d'accord, dis-je à demi convaincu mais dans ma cuisine, les miettes, votre aspirateur peut-il les faire disparaître avant que les rongeurs, qui n'attendent qu'une distraction, qu'un moment de faiblesse de ma part, ne s'en chargent ?

– Mais bien entendu. »

Le dieu qui protège les romanciers débordés et fauchés venait de faire en sorte que mon appartement reluisait sans que j'aie eu à lever le petit doigt !

Aussitôt la démonstration complétée, je remercie le jeune vendeur et lui déclare :

« Non seulement vous êtes un excellent vendeur, Charles, mais je suis persuadé que votre aspirateur est le meilleur du monde ! »

Enchanté, il tire son carnet de commande de son porte-documents, me demande mon nom. Je l'arrête.

« J'ai une mauvaise nouvelle pour vous. Je n'achèterai jamais votre aspirateur. »

(Il coûtait 700 $, toute une somme, que je n'avais pas, et je devais bien trouver une justification philosophique) !

« Pourquoi ?

– Parce que, imaginez que j'achète votre aspirateur, que je le passe et que le jour même je meure subitement. Lorsque je vais arriver au ciel, je vais me sentir con, parce que je vais me dire. « La dernière journée de ma vie, je l'ai vraiment occupée à faire quelque chose d'archi-plat : j'ai passé l'aspirateur !

– Hein ? protesta Charles, éberlué par cette philosophie pour le moins inattendue. Mais vous ne pouvez pas penser ainsi ! Vous ne pouvez pas vivre votre vie et surtout baser vos décisions d'achat en fonction de votre mort!

– Non seulement je le peux, expliquai-je, mais je le fais. Parce qu'on ne sait jamais quand on va mourir et je préfère ne pas courir de risques, je préfère «jouer safe» et faire chaque jour le plus de choses agréables et le moins de choses désagréables.

Il m'a demandé ce que je faisais pour gagner ma vie.

Quand j'ai dit: romancier, il a dit: «Ah…» comme si j'avais avoué que j'étais un fou en liberté, et il n'a pas insisté. Il a remballé sa marchandise et est parti.

Ça a l'air un peu excessif, un peu fou, comme philosophie, je sais.

Pourtant, à quelques nuances près, c'est ainsi que je pense…

Et je pense aussi qu'il y a trop de gens qui passent leur vie à… «passer l'aspirateur»!

C'est une image, bien sûr, comme j'ai dû l'expliquer un jour, dans une conférence, à une charmante dame qui est venue me trouver à la pause pour me dire, désespérée:

«Monsieur Fisher, ça m'a pris un an pour convaincre mon mari de passer l'aspirateur, et maintenant qu'il vient de vous entendre, je vais lui dire quoi?»

Je lui ai dit ce que je viens de vous dire, que c'était juste une image, une parabole.

Comprenez-moi bien…

Vous avez le droit de passer l'aspirateur autant de fois que vous voulez, le matin, le soir, la nuit même, surtout si ça érotise votre femme: ça s'est vu et si c'est ça qu'il lui faut, alors vite à votre Electrolux!

Vous avez aussi le droit de le laisser passer à votre femme, si ça l'érotise (ce dont je doute) ou si ça vous érotise, ce qui est possible, car vous êtes peut-être sans le savoir adepte des amours ancillaires…

Mais – à moins bien entendu que ce soit votre métier, et que vous l'aimiez, je n'ai rien contre – ne passez pas votre vie à passer l'aspirateur.

Surtout si vous trouvez cette corvée désagréable et que vous pourriez être en train de développer une idée de génie pour vous mettre à l'abri du besoin pour le reste de votre vie, ou simplement de travailler pour un client à 150 $ de l'heure…

Oui, ne faites pas comme le commun des mortels, comme l'homme ordinaire qui accepte année après année, résigné, par habitude, de passer le plus clair de son temps à faire des choses désagréables…

Il ne l'avoue peut-être pas, l'homme ordinaire, mais sa mine renfrognée le trahit, non ?

Oui, il passe son temps à se promettre ou à rêver qu'il fera des choses agréables un jour…

Un jour, premièrement, ce n'est pas assez !

Ce devrait être bien plus qu'un jour, ce devrait être des semaines, des mois, des années !

Et deuxièmement, il ne devrait pas courir pareil risque, il devrait les faire tout de suite, les choses agréables, si du moins il se rappelle comment ça se fait, parce que quand il sera mort, bien sûr, il sera trop tard.

Oui, il devrait tout de suite agir en éternel vacancier, ce qui ne veut pas dire qu'il devrait bannir toute tâche manuelle ou domestique.

Moi, par exemple, je préfère m'occuper moi-même de mes roses…

Parce que je les aime, un peu comme si c'était mes enfants…

Et j'aime m'en occuper…

Je n'irais pas jusqu'à dire que je leur parle, mais j'échange avec elles, si on peut dire…

Je les taille patiemment, elles me gavent de leur beauté, m'enivrent de leur parfum, me posent une énigme lorsqu'elles sont malades ou en mauvaise santé…

Je précise cependant que je n'ai pas une véritable roseraie, seulement quelques plates-bandes, et que si j'avais 500 ou 1 000 roses, comme certains privilégiés, je crois que je rendrais mon sécateur à un jardinier : chacun son métier…

Je m'occupe de mon potager, aussi, que je fais avec ma fille, ce qui est une joie et un enseignement, et pas seulement pour elle mais pour moi.

C'est souvent pendant ce travail manuel que… j'ai des idées!

C'est souvent les mains dans la terre que me vient une idée céleste, que je trouve la solution d'un problème rencontré dans un roman en cours, problème qui avait résisté énergiquement à mes efforts. Peut-être trop insistants. Preuve de plus, s'il en était besoin, que vaut parfois mieux paresser que s'acharner.

J'aime aussi faire mon épicerie moi-même ou en famille.

Et je n'aimerais pas être privé de la joie d'aller au Marché Jean-Talon, l'été, pour me laisser éblouir par la vue et l'odeur de l'extraordinaire étalage de fruits, de légumes, de fleurs et de fines herbes qu'on y offre…

Vous voyez, je ne délègue pas tout, je ne suis pas maniaque de la sous-traitance domestique.

Là où j'en ai contre les tâches domestiques, c'est lorsque je vois ces gens, si nombreux, s'occuper de leur pelouse et de leurs plates-bandes, avec l'anxiété qu'elles ne soient pas aussi bien que celles de leur voisin, qui arrachent furieusement les mauvaises herbes, pestent de ne pas avoir de pesticides assez puissants, et en somme passent leur week-end à se livrer à a cette obsession, non seulement à leur résidence principale mais aussi à leur résidence secondaire. Et dire qu'ils en avaient fait l'acquisition pour… profiter de la vie!

Chapitre 10

Le secret ultime pour jouir du temps

Retiré à la fin de sa vie dans la bibliothèque d'un vieux château de Bavière qu'avait mise à sa disposition un ami aristocrate, Casanova écrivait ses fameux Mémoires.

Passionné par le souvenir de ses innombrables aventures amoureuses, il nota dès le début de cette tâche prodigieuse : « J'écris chaque jour douze heures qui me paraissent douze minutes ! »

Douze heures qui me paraissent douze minutes !

Quel aveu révélateur et sublime !

Vous, les 8 ou 10 ou 12 heures que vous passez à votre travail, vous paraissent-elles passer comme 8, ou 10 ou 12 minutes ?

Ou n'est-ce pas plutôt le contraire ?

Chaque minute ne vous semble-t-elle pas aussi longue qu'une heure, chaque jour aussi long qu'une semaine ?

Et la raison n'en est-elle pas que vous n'aimez pas ce que vous faites et qu'il est impossible de se concentrer lorsque qu'on n'aime pas ce qu'on fait ?

N'y a-t-il pas un lien direct entre le temps et l'amour et la concentration ?

Un soir d'octobre 1997, je fis un rêve étrange.

Dans mon rêve, j'entrais dans une chambre où j'entendais de nombreuses femmes pleurer…

Il y avait au fond de la pièce un lit à baldaquin couvert de grands voiles.

Je m'avançai, et demandai à une des femmes:

« Pourquoi pleurez-vous?

– Parce que Pierre Péladeau est mort… »

À mon réveil, je m'interrogeai sur le sens de ce rêve singulier.

Bien sûr, je connaissais depuis des années le grand homme d'affaires Pierre Péladeau, car mon père en avait été le bras droit pendant toute sa longue et fructueuse carrière… Et il avait été un de mes mentors.

Mais de là à rêver à lui!

Et de surcroît rêver qu'il était mort…

Comme je n'étais pas spécialement versé dans la clé des songes je ne pensai plus à ce rêve, me disant qu'il était sans doute symbolique de quelque mort en moi.

J'ignorais qu'en fait il était prémonitoire.

En effet, le 24 décembre de la même année, à la suite d'un infarctus et d'un long coma, Pierre Péladeau décédait.

Mon père, qui était son exécuteur testamentaire et qui était souvent allé le visiter pendant son long coma, me dit, un soir, à son retour de l'hôpital:

« C'était curieux, ce soir, toutes les anciennes amies de Pierre étaient dans la chambre et pleuraient… »

Alors mon rêve me revint, comme on dit.

Et je me demandai: « *Comment ai-je pu voir un événement qui n'avait pas encore eu lieu? Et si je l'ai vu avant qu'il ne se produise, n'est-ce pas parce qu'il existait déjà? Parce que tout SE PASSE EN MÊME TEMPS?* »

En somme n'est-ce pas parce que, au fond, le temps n'existe pas, qu'il est juste une illusion qui berne notre esprit trop étroit, pas assez éveillé?

À quelque temps de là, je fis un autre songe.

Comme il m'arrive souvent depuis mon adolescence, je me réveillai pendant que je rêvais, ou pour mieux dire je devins conscient que je rêvais, sans pourtant que mon corps s'éveillât.

J'arrivai devant un immense temple, de style grec.

Un sage m'y attendait, assis en lotus, avec un visage radieux et un sourire qui n'était pas dépourvu de moquerie.

Il me dit alors :

« Moi, je vis 1 000 ans avant Jésus... »

Je ne fus pas certain de comprendre, je le questionnai, il précisa :

« Oui, à l'époque où je vis Jésus n'est pas encore né... »

Je pensai alors à mon rêve précédent, et ce ne fut qu'une confirmation supplémentaire que le temps n'existait pas vraiment, sauf dans notre esprit...

Et le sage ajouta alors :

« Tu es venu ici pour que je te dise ceci :

« VIVRE DANS LE PRÉSENT, C'EST VIVRE DANS L'AMOUR,
ET VIVRE DANS L'AMOUR, C'EST DEVENIR DIEU. »

Pour entrer en contact avec Marc Fisher,
auteur et conférencier :

fisher_globe@hotmail.com

CHEZ LE MÊME ÉDITEUR

Liste des livres :

52 façons de développer son estime personnelle et sa confiance en soi, *Catherine E. Rollins*
52 façons simples de dire « Je t'aime » à votre enfant, *Jan Lynette Dargatz*
1001 maximes de motivation, *Sang H. Kim*
Abracadabra, comment se transformer en un bon gestionnaire et un grand leader, *Diane Desaulniers*
Accomplissez des miracles, *Napoleon Hill*
Agenda du Succès *(formats courant et de poche), éditions Un monde différent*
Aidez les gens à devenir meilleurs, *Alan Loy McGinnis*
À la recherche d'un équilibre : une stratégie antistress, *Lise Langevin Hogue*
Amazon. com, *Robert Spector*
Amour de soi : Une richesse à redécouvrir (L'), *Marc Gervais*
Ange de l'espoir (L'), *Og Mandino*
Anticipation créatrice (L'), *Anne C. Guillemette*
À propos de..., *Manuel Hurtubise*
Apprivoiser ses peurs, *Agathe Bernier*
Ascension de l'âme, mon expérience de l'éveil spirituel (L'), *Marc Fisher*
Athlète de la Vie, *Thierry Schneider*
Attitude 101, *John C. Maxwell*
Attitude d'un gagnant, *Denis Waitley*
Attitude gagnante : la clef de votre réussite personnelle (Une), *John C. Maxwell*
Attitudes pour être heureux, *Robert H. Schuller*
Bien vivre sa retraite, *Jean-Luc Falardeau et Denise Badeau*
Bonheur et autres mystères, suivi de La Naissance du Millionnaire (Le), *Marc Fisher*
Bonheur s'offre à vous : Cultivez-le ! (Le), *Masami Saionji*
Cancer des ovaires (Le), *Diane Sims*
Ces forces en soi, *Barbara Berger*
Chaman au bureau (Un), *Richard Whiteley*
Changez de cap, c'est l'heure du commerce électronique, *Janusz Szajna*
Chanteur de l'eau (Le), *Marilou Brousseau*
Chemin de la vraie fortune (Le), *Guy Finley*
Chemins de la liberté (Les), *Hervé Blondon*
Chemins du cœur (Les), *Hervé Blondon*
Choix (Le), *Og Mandino*
Cinquième Saison (La), *Marc André Morel*
Cœur à Cœur, l'audace de Vivre Grand, *Thierry Schneider*
Cœur plein d'espoir (Le), *Rich DeVos*
Comment réussir l'empowerment dans votre organisation ? *John P. Carlos, Alan Randolph et Ken Blanchard*
Comment se fixer des buts et les atteindre, *Jack E. Addington*
Communiquer : Un art qui s'apprend, *Lise Langevin Hogue*
Communiquer en public : Un défi passionnant, *Patrick Leroux*
Contes du cœur et de la raison (Les), *Patrice Nadeau*
Coupables... de réussir, *collectif de conférenciers et de formateurs*
Créé pour vivre, *Colin Turner*
Créez votre propre joie intérieure, *Renee Hatfield*
Cupidon à Wall Street, *Pierre-Luc Poulin*
Dauphin, l'histoire d'un rêveur (Le), *Sergio Bambaren*
Débordez d'énergie au travail et à la maison, *Nicole Fecteau-Demers*
Découverte par le Rêve (La), *Nicole Gratton*
Découvrez le diamant brut en vous, *Barry J. Farber*
Découvrez votre destinée, *Robin S. Sharma*
Découvrez votre mission personnelle, *Nicole Gratton*
De la part d'un ami, *Anthony Robbins*
Dépassement total, *Zig Ziglar*
Destin : Sérénité, *Claude Norman Forest*
Développez habilement vos relations humaines, *Leslie T. Giblin*
Développez votre leadership, *John C. Maxwell*

Devenez la personne que vous rêvez d'être, *Robert H. Schuller*
Devenez influent, neuf lois pour vous mettre en valeur, *Tony Zeiss*
Devenez une personne d'influence, *John C. Maxwell et Jim Dornan*
Devenir maître motivateur, *Mark Victor Hansen et Joe Batten*
Dites oui à votre potentiel, *Skip Ross*
Dix commandements pour une vie meilleure, *Og Mandino*
Dix secrets du succès et de la paix intérieure (Les), *Wayne W. Dyer*
De docteur à docteur, *Neil Solomon*
Don (Le), *Richard Monette*
École des affaires (L'), *Robert T. Kiyosaki et Sharon L. Lechter*
En route vers le succès, *Rosaire Desrosby*
Envol du fabuleux voyage (L'), *Louis A. Tartaglia*
Esprit qui anime les gagnants (L'), *Art Garner*
Eurêka! *Colin Turner*
Éveillez en vous le désir d'être libre, *Guy Finley*
Éveillez votre pouvoir intérieur, *Rex Johnson et David Swindley*
Évoluer vers le bonheur intérieur permanent, *Nicole Pépin*
Excès de poids et déséquilibres hormonaux, *Neil Solomon*
Faites la paix avec vous-même, *Ruth Fishel*
Faites une différence, *Earl Woods et Shari Lesser Wenk*
Favorisez le leadership de vos enfants, *Robin S. Sharma*
Fonceur (Le), *Peter B. Kyne*
Formation 101, *John C. Maxwell*
Fuir sa sécurité, *Richard Bach*
Gestion du temps (La), *Danielle DeGarie*
Guide de survie par l'estime de soi, *Aline Lévesque*
Guide pour investir, *Robert T. Kiyosaki et Sharon L. Lechter*
Hectares de diamants (Des), *Russell H. Conwell*
Homme est le reflet de ses pensées (L'), *James Allen*
Homme le plus riche de Babylone (L'), *George S. Clason*
Homme qui voulait changer sa vie (L'), *Antoine Filissiadis*
Il faut le croire pour le voir, *Wayne W. Dyer*
Illusion de l'ego (L'), *Chuck Okerstrom*
Initiation: récit d'un apprenti yogi (L'), *Hervé Blondon*
Intuition: savoir reconnaître sa voix intérieure et lui faire confiance, *J. Donald Walters*
Jeune de cœur: André Lejeune, une voix vibrante du Québec (Le), Marilou Brousseau
Je vous défie! *William H. Danforth*
Joies du succès (Les), *Susan Ford Collins*
Journal d'un homme à succès, *Jim Paluch*
Joy, tout est possible! *Thierry Schneider*
Jus de noni (Le), *Neil Solomon*
Laisser sa marque, *Roger Fritz*
Leader, avez-vous ce qu'il faut?, *John C. Maxwell*
Leadership 101, *John C. Maxwell*
Légende des manuscrits en or (La), *Glenn Bland*
Lever l'ancre pour mieux nourrir son corps, son cœur et son âme, *Marie-Lou et Claude*
Livre des secrets (Le), *Robert J. Petro* et *Therese A. Finch*
Lois dynamiques de la prospérité (Les), *Catherine Ponder*
Magie de voir grand (La), *David J. Schwartz*
Maître (Le), *Og Mandino*
Mana le Dauphin, *Jacques Madelaine*
Marketing de réseaux, un mode de vie (Le), *Janusz Szajna*
Massage 101, *Gilles Morand*
Maux pour le dire... simplement, *Suzanne Couture*
Meilleure façon de vivre (Une), *Og Mandino*
Mémorandum de Dieu (Le), *Og Mandino*
Messagers de lumière, *Neale Donald Walsch*

Mes valeurs, mon temps, ma vie! *Hyrum W. Smith*
Millionnaire paresseux (Le), *Marc Fisher*
Miracle de l'intention (Le), *Pat Davis*
Moine qui vendit sa Ferrari (Le), *Robin S. Sharma*
Moments d'inspiration, *Patrick Leroux*
Momentum, votre essor vers la réussite, *Roger Fritz*
Mon bonheur par-delà mes souffrances, *Vania et Francine Fréchette*
« Mon père, je m'accuse d'être heureux », *Linda Bertrand* et *Bill Marchesin*
Né pour gagner, *Lewis Timberlake et Marietta Reed*
Noni et le cancer (Le), *Neil Solomon*
Noni, cet étonnant guérisseur de la nature (Le), *Neil Solomon*
Noni et le diabète (Le)
Nos enfants riches et brillants, *Robert T. Kiyosaki et Sharon L. Lechter*
Nous: Un chemin à deux, *Marc Gervais*
On se calme… L'art de désamorcer le stress et l'anxiété, *Louise Lacourse*
Optimisez votre équipe: Les cinq dysfonctions d'une équipe, *Patrick Lencioni*
Osez Gagner, *Mark Victor Hansen et Jack Canfield*
Ouverture du cœur, les principes spirituels de l'amour (L'), *Marc Fisher*
Ouvrez votre esprit pour recevoir, *Catherine Ponder*
Ouvrez-vous à la prospérité, *Catherine Ponder*
Pardon, guide pour la guérison de l'âme (Le), *Marie-Lou et Claude*
Pensée positive (La), *Norman Vincent Peale*
Pensez du bien de vous-même, *Ruth Fishel*
Pensez en gagnant! *Walter Doyle Staples*
Père riche, père pauvre, *Robert T. Kiyosaki et Sharon L. Lechter*
Père riche, père pauvre (la suite), *Robert T. Kiyosaki et Sharon L. Lechter*
Périple vers la paix intérieure, le chemin de l'amour, *Marie-Lou et Claude*
Performance maximum, *Zig Ziglar*
Personnalité plus, *Florence Littauer*
Petites actions, grands résultats, *Roger Fritz*
Plaisir de réussir sa vie (Le), *Marguerite Wolfe*
Plus beaux paysages et panoramas de golf au Québec (Les), *Nadine Marcoux*
Plus grand miracle du monde (Le), *Og Mandino*
Plus grand mystère du monde (Le), *Og Mandino*
Plus grand succès du monde (Le), *Og Mandino*
Plus grand vendeur du monde (Le), *Og Mandino*
Plus grands coachs de vente du monde (Les), *Robert Nelson*
Pour le cœur et l'esprit, *Patrick Leroux*
Pouvoir de la pensée positive (Le), *Eric Fellman*
Pouvoir de la persuasion (Le), *Napoleon Hill*
Pouvoir de vendre (Le), *José Silva et Ed Bernd fils*
Pouvoir magique des relations d'affaires (Le), *Timothy L. Templeton et Lynda Rutledge Stephenson*
Pouvoir triomphant de l'amour (Le), *Catherine Ponder*
Pouvoir ultime: vers une richesse authentique, *Pascal Roy*
Prenez du temps pour vous-même, *Ruth Fishel*
Prenez rendez-vous avec vous-même, *Ruth Fishel*
Prenez de l'altitude. Ayez la bonne attitude!, *Pat Mesiti*
Principes spirituels de la richesse (Les), *Marc Fisher*
Progresser à pas de géant, *Anthony Robbins*
Prospérité par les chemins de l'amour: De la pauvreté à l'épanouissement: mon histoire (La), *Catherine Ponder*
Provoquez le leadership, *John C. Maxwell*
Quand on veut, on peut! *Norman Vincent Peale*
Quel Cirque! *Jean David*
Qui va pleurer… quand vous mourrez? *Robin S. Sharma*
Règles ont changé! (Les) *Bill Quain*

Relations 101, *John C. Maxwell*
Relations efficaces pour un leadership efficace, *John C. Maxwell*
Relations humaines, secret de la réussite (Les), *Elmer Wheeler*
Renaissance, retrouver l'équilibre intérieur (La), *Marc Gervais*
Rendez-vous au sommet, *Zig Ziglar*
Retour du chiffonnier (Le), *Og Mandino*
Réussir à tout prix, *Elmer Wheeler*
Réussir grâce à la confiance en soi, *Beverly Nadler*
Réussir n'est pas péché, *collectif de conférenciers et formateurs*
Rien n'est impossible, *Christopher Reeve*
Sagesse des mots (La), *Baltasar Gracián*
Sagesse du moine qui vendit sa Ferrari (La), *Robin S. Sharma*
S'aimer soi-même, *Robert H. Schuller*
Saisons du succès (Les), *Denis Waitley*
Sans peur et sans relâche, *Joe Tye*
Savoir vivre, *Lucien Auger*
Secret de M. Everit (Le), *Alan H. Cohen*
Secret d'un homme riche (Le), *Ken Roberts*
Secret est dans le plaisir (Le), *Marguerite Wolfe*
Secrets de la confiance en soi (Les), *Robert Anthony*
Secrets d'une communication réussie (Les), *Larry King et Bill Gilbert*
Se donner la permission de réussir, *Noah St. John*
Semainier du Succès (Le), *éditions Un monde différent ltée*
Sexualité taoïste (La), *Bing Xiang et Marie-Josée Tardif*
Six façons d'améliorer votre santé grâce au noni, Neil Solomon
Sommeil idéal, guide pour bien dormir et vaincre l'insomnie (Le), *Nicole Gratton*
Stratégies de prospérité, *Jim Rohn*
Stratégies du Fonceur (Les), *Danielle DeGarie*
Stratégies pour communiquer efficacement, *Vera N. Held*
Stress: Lâchez prise! *Guy Finley*
Succès d'après la méthode de Glenn Bland (Le), *Glenn Bland*
Succès n'est pas le fruit du hasard (Le), *Tommy Newberry*
Succès selon Jack (Le), *Jack Canfield et Janet Switzer*
Technologie mentale, un logiciel pour votre cerveau (La), *Barbara Berger*
Télépsychique (La), *Joseph Murphy*
Tendresse: chemin de guérison des émotions et du corps par la psycho-kinésiologie, science de la tendresse, *Hedwige Flückiger et Aline Lévesque*
Testament du Millionnaire (Le), *Marc Fisher*
Tiger Woods: La griffe d'un champion, *Earl Woods et Pete McDaniel*
Tout est dans l'attitude, *Jeff Keller*
Tout est possible, *Robert H. Schuller*
Ultime équilibre yin yang (L'), *Mian-Ying Wang*
Un, *Richard Bach*
Un peu plus que d'ordinaire, *Thérèse Veilleux*
Une larme d'or, *Sally Manning et Danièle Sauvageau*
Une révolution appelée noni, *Rita Elkins*
Univers de la possibilité: un art à découvrir (L'), *Rosamund et Benjamin Stone*
Université du succès, trois tomes (L'), *Og Mandino*
Vaincre l'adversité, *John C. Maxwell*
Vie est magnifique (La), *Charlie « T. » Jones*
Vie est un rêve (La), *Marc Fisher*
Vieux Golfeur et le Vendeur (Le), *Normand Paul*
Visez la victoire, *Lanny Bassham*
Vivez passionnément, Peter L. Hirsch
Vivre Grand: développez votre confiance jusqu'à l'audace, *Thierry Schneider*
Vivre sa vie autrement, *Eva Arcadie*
Vous êtes unique, ne devenez pas une copie!, *John L. Mason*
Vous inc., découvrez le P.-D. G. en vous, *Burke Hedges*
Voyage au cœur de soi, *Marie-Lou et Claude*

Liste des cassettes audio :

Après la pluie, le beau temps !, *Robert H. Schuller*
Arrêtez d'avoir peur et croyez au succès !, *Jean-Guy Lebœuf*
Assurez-vous de gagner, *Denis Waitley*
Atteindre votre plein potentiel, *Norman Vincent Peale*
Attitude d'un gagnant, *Denis Waitley*
Comment attirer l'argent, *Joseph Murphy*
Comment contrôler votre temps et votre vie, *Alan Lakein*
Comment se fixer des buts et les atteindre, *Jack E. Addington*
Communiquer : Un art qui s'apprend, *Lise Langevin Hogue*
Créez l'abondance, *Deepak Chopra*
De l'échec au succès, *Frank Bettger*
Dites oui à votre potentiel, *Skip Ross*
Dix commandements pour une vie meilleure, *Og Mandino*
Fortune à votre portée (La), *Russell H. Conwell*
Homme est le reflet de ses pensées (L'), *James Allen*
Intelligence émotionnelle (L'), *Daniel Goleman*
Je vous défie ! *William H. Danforth*
Lâchez prise ! *Guy Finley*
Lois dynamiques de la prospérité (Les), (2 parties) *Catherine Ponder*
Magie de croire (La), *Claude M. Bristol*
Magie de penser succès (La), *David J. Schwartz*
Magie de voir grand (La), *David J. Schwartz*
Maigrir par autosuggestion, *Brigitte Thériault*
Mémorandum de Dieu (Le), *Og Mandino*
Menez la parade ! *John Haggai*
Pensez en gagnant ! *Walter Doyle Staples*
Performance maximum, *Zig Ziglar*
Plus grand vendeur du monde (Le), (2 parties) *Og Mandino*
Pouvoir de l'optimisme (Le), *Alan Loy McGinnis*
Psychocybernétique (La), *Maxwell Maltz*
Puissance de votre subconscient (La), (2 parties) *Joseph Murphy*
Réfléchissez et devenez riche, *Napoleon Hill*
Rendez-vous au sommet, *Zig Ziglar*
Réussir grâce à la confiance en soi, *Beverly Nadler*
Secret de la vie plus facile (Le), *Brigitte Thériault*
Secrets pour conclure la vente (Les), *Zig Ziglar*
Se guérir soi-même, *Brigitte Thériault*
Sept Lois spirituelles du succès (Les), *Deepak Chopra*
Votre plus grand pouvoir, *J. Martin Kohe*

Liste des disques compacts :

Conversations avec Dieu, *Neale Donald Walsch*
Créez l'abondance, *Deepak Chopra*
Dix commandements pour une vie meilleure, (disque compact double) *Og Mandino*
Lâchez prise ! (disque compact double) *Guy Finley*
Mémorandum de Dieu (Le), (deux versions : Roland Chenail et Pierre Chagnon), *Og Mandino*
Père riche, père pauvre, (disque compact double) *Robert T. Kiyosaki et Sharon L. Lechter*
Quatre accords toltèques (Les) (disque compact double), *Don Miguel Ruiz*
Sept lois spirituelles du succès (Les) (disque compact double), *Deepak Chopra*